CW00431080

SORTIE DE SECOURS

Du même auteur aux Éditions J'ai lu :

L'humanité disparaîtra, bon débarras ! (8438)

YVES
Paccalet

SORTIE DE SECOURS

ESSAI

© Éditions Arthaud, 2007

SOMMAIRE

L'ultime utopie

Une révolution sans exécutions capitales ?...
C'est impensable, voyons !... ça ne serait pas sérieux !
Et puis, que faites-vous des traditions ?...
Hein, qu'est-ce que vous en faites ?
(Le général Alcazar à Tintin)

HERGÉ
Tintin et les Picaros

Homo fugit velut umbra.

On peut lire cette phrase en latin (« L'homme fuit comme l'ombre ») sur le cadran solaire de l'église de Bozel, la commune de Savoie où je suis né et où je suis revenu vivre, face aux glaciers bleus de la Vanoise. Tel le grand corbeau sur sa falaise.

J'ai choisi cette inscription pour maxime. Je l'étends à tous les miens. Nous sommes une espèce en péril.

Et l'enfer, c'est nous autres.

On croit que je suis bougon, pessimiste, renfrogné : pas du tout. Je rayonne. La situation ne peut pas être pire. Nous avons toutes les raisons d'être fiers de participer à un moment crucial de l'Histoire. Le XXIe siècle pourrait ne pas être. En tout cas, pas dans sa totalité. Nul, parmi nos ancêtres (« une année bonne et l'autre non »), n'aurait imaginé une telle conjoncture.

L'humanité est une chose trop importante pour qu'on la confie aux êtres humains. Le problème est que nous n'avons personne à qui demander de l'aide. Dieu se cache derrière son nuage et le génie d'Aladin dans sa lampe. La terre, l'eau, l'air, le feu, les végétaux, les animaux se fichent de notre destin.

L'*Homo sapiens* se conjugue à la première personne du présent irresponsable. Pour s'offrir un futur, il doit moucher son orgueil et rabattre son égoïsme. Quêter l'harmonie plutôt que la puissance. Ouvrir son cœur aux autres. Cesser d'incarner ce sale gosse qui joue avec les allumettes et se prépare un brillant avenir de merguez flambée.

S'il désire traverser le XXIe siècle, l'homme devra enfin devenir l'Homme ; avec un grand H… En est-il capable ? Lorsqu'on l'écoute et qu'on le regarde, on en doute.

Nous sommes frappés par le syndrome du mouton de Panurge. « Je consomme, donc je ne pense pas. » Notre troupeau file vers le précipice, heureux de galoper aussi vite.

***

L'Humanité disparaîtra, bon débarras !

On m'a parfois reproché le ton provocateur de mon précédent essai : « Vous y allez fort ! Vous nous traitez de cancer de la planète et vous nous recommandez de manger nos bébés ! »

J'ai entrepris d'écrire ce livre parce que je ne supporte plus d'entendre dire : « L'humanité finira bien par trouver des solutions ! » Cette phrase me rend… vert de rage. Elle signifie : « Je me déclare solennellement et définitivement irresponsable. Je profite de la “civilisation”, je gaspille, je saccage, je pollue, je détruis la biosphère, et après moi le chaos. Les autres trouveront bien des solutions ! » En l'occurrence, les « autres » ne peuvent désigner qu'une fraction précise de l'humanité : nos enfants.

Cet égoïsme de porc qui s'empiffre aux dépens des porcelets, ce mépris pour les générations futures me paraissent odieux. Voilà pourquoi, selon les moments, je hurle ou j'ironise.

Ciao, humanità !

Adios, humanidad !

Bye, bye, humankind !

Auf Wiedersehen, Menschheit !

Notre espèce ne bénéficiera d'aucun passe-droit. Si nous persévérons dans nos péchés d'orgueil et d'avidité, nous conclurons notre trajectoire au néant, et cela ne chagrinera personne dans l'immense univers. Si nous sommes assez bêtes et méchants pour nous faire hara-kiri, nous ne mériterons ni le prix Charles Darwin de la sélection naturelle ; ni le séjour des dieux : Champs Élysées des Grecs, Walhalla dégoulinant de bière, réincarnation en lotus bleu, paradis d'Allah pour martyr à l'état de steak haché, ou ciel chrétien rempli d'anges sans sexe (l'enfer, vite !).

***

Amis de l'humour noir, buvons notre vin sous la lune avec Li Po en attendant l'éternité des molécules...

L'Humanité disparaîtra, et cætera !

En trouvant mon titre, j'ignorais que Cioran avait écrit à peu près la même chose dans *Écartèlement* :

« Il faut être maboul pour se lamenter sur la disparition de l'homme au lieu d'entonner un : Bon débarras ! »

L'humanité m'a déçu. Enfant, je l'imaginais comme un lion superbe et généreux. C'est un cancrelat avide et superstitieux. Mais j'éprouve de la tendresse pour les mal-aimés : les cafards, les araignées, les requins, les serpents, les rats ou les hyènes... J'en conçois donc pour mes congénères !

Je n'ai pas perdu toute estime pour les miens. Il me reste un espoir qu'ils vivent plus loin que le bout de leur bêtise. Je nourris ce maigre optimisme parce que je suis resté puéril. À soixante ans passés, même si j'ai passablement bourlingué, je n'ai jamais quitté la verte prairie de mon enfance. Je gambade parmi les phrases. Je broute les idées. Je suis le cabri ou le Bambi de la pensée. Une graminée (flouve, phléole, fétuque ou folle avoine) me tient lieu de concept. Je mâchouille. Je rumine. Je bave des poèmes à la chlorophylle... Le jardin de mon optimisme manque d'engrais, mais je le soigne. Je nous invente autant d'excuses qu'il existe d'*Homo sapiens* : six milliards et demi. Je nous pardonne en dépit du bon sens. Je nous gronde comme on rabroue son chien qui lacère le canapé : avec colère, mais en sachant qu'il est inutile de punir un animal aussi attendrissant et stupide à la fois.

L'humanisme est un sport difficile. Ceux qui s'y adonnent imitent les coureurs du Tour de France. Ils prennent des produits dopants : l'optimisme béat (« On avance, on avance ! ») ; le mot d'ordre naïf (« Soyons meilleurs ! ») ; l'injonction magique (« Y a qu'à..., faut qu'on... ») ; la promesse fallacieuse (« La croissance rend heureux ! ») ; ou la litanie incantatoire (« Dieu est amour ! »)... Tandis que la réalité est inverse : le progrès est une chimère ; nous ne deviendrons jamais bons ; personne n'écoute les sermons ; la croissance, c'est le malheur ; et Dieu, c'est la guerre.

Notre espèce est lamentable, qu'elle ait été créée par Manitou, Yahvé, Allah ou Vishnou, par les propriétés intrinsèques des particules ou par la vibration du vide quantique. (Ah ! les cordes cosmiques : la nouvelle musique des sphères !) Il eût été préférable que nous restassions des australopithèques insensibles aux délices de l'imparfait du subjonctif. Il eût mieux valu que nous ne descendissions point de l'arbre et que nous ne mangeassions point le fruit de la connaissance. Nous l'avons fait. Non seulement Ève a croqué la pomme, mais nous avons inventé la compote, la tarte, le cidre et (hips !) le calva, sans oublier le pommier OGM et la branche de pommier pour le pendu.

Il nous faut assumer notre regrettable évolution – ou disparaître. La seconde hypothèse est la plus probable. Tentons de faire triompher la première.

Il nous reste une solution : l'utopie.

L'ultime utopie. La plus belle et la plus difficile...

Frères grands singes, bon rêve et bon courage ! La sortie de secours est là-haut. Non, pas là...

Plus haut !

***

L'amour et la haine sont un vieux couple.

Je n'aime pas l'homme en général (« un général, dégénérés », disait Boris Vian). Je hais l'orgueil ravageur des anthropoïdes à poils rares que nous incarnons. Mais j'embrasse les êtres humains sans distinction de sexe, d'âge, de couleur, d'origine ou de religion. Je hais le fanatisme, le racisme et la guerre. Je déteste la mobilisation générale, la charge héroïque et l'arc de triomphe, cette tumeur dont le symétrique est la fosse commune. Je voudrais ne donner à nos rues que des noms de défaites, de poètes ou de vagabonds. Ah ! Déambuler sur le boulevard de la Grande-Raclée ; remonter l'avenue du Doux-Rêveur ; et boire un café de commerce équitable sur la place du Citoyen-du-Monde !

Mon âme (les neurones rescapés de mon encéphale ; dernière station avant Alzheimer) recèle encore des fragments d'humanisme. Je cultive le goût de mes semblables, mais un par un. Descartes ou Kant diraient « sujet après sujet », Leibniz « monade après monade », Freud « ego après ego », Coluche « enfoiré après enfoiré ». Je suis un individualiste universaliste – une contradiction à barbe blanche et, hélas ! de plus en plus sourde.

En publiant *L'Humanité disparaîtra...*, j'ai vomi sur les orteils de mes semblables. Je le confesse : ce n'était ni très joli, ni très poli. Mais comme disait ma grand-mère : « Quand ça doit sortir, ça sort ! » J'ai expulsé ma rage et ma honte d'appartenir à une espèce qui aurait tout pour être heureuse, mais qui ne cesse de se rendre insupportable à elle-même et à la planète. J'ai déploré que l'*Homo sapiens* invente dix mille façons de torturer Gaïa, la *mater generosa* qui le réchauffe, l'oxygène et le nourrit.

Je ne me reconnais aucune qualité, sinon celle de posséder le même nombre de chromosomes (quarante-six) et de gènes (vingt-cinq mille) que Socrate, Abu Nuwas, Hokusai ou Einstein. (J'aurais pu citer Néron, Jack l'Éventreur, le docteur Goebbels ou Ben Laden...) Je me suis désolé d'apercevoir en moi l'agressivité, l'obsession du territoire et de la domination que nous partageons avec César, Attila, Napoléon, Staline, Mao Tsé-toung et les machetteurs du Rwanda. Je conçois que ma description du nazi qui marche au pas de l'oie dans notre cerveau limbique ait agacé les pratiquants de la méthode Coué et les adeptes du « politiquement correct », qui se prennent pour des anges jusqu'au jour où une sale blague de l'Histoire les change en SS à Auschwitz.

L'unique devoir du philosophe consiste à dire ce qu'il pense vrai : peu importe qu'on l'insulte ou qu'on l'assassine. J'ai tiré mes arguments de diverses disciplines : biologie, écologie, éthologie, sociologie, psychologie, histoire... Je nous ai décrits comme une erreur de Dieu ou de l'évolution – au choix. Je m'attendais à une volée de bois vert. J'avais préparé ma défense en révisant les paroles de la chanson de Boris Vian (encore lui) : *On n'est pas là pour se faire engueuler*. Les réactions de mes lecteurs ont été globalement positives. Je leur en rends grâce.

***

Il ne suffit pas de se mettre d'accord sur un diagnostic. Reste à trouver le remède. Reste à savoir si nous avons une chance de nous en sortir. Par quels moyens. Et à quel prix...

Je n'imagine pas que nous choisirons *La République* de Platon. Ni l'*Utopie* de Thomas More. Ni l'abbaye de Thélème de Rabelais (« Fays ce que vouldras ! »). Ni l'Icarie d'Étienne Cabet. Pas davantage la révolution phalanstérienne, amoureuse et

« papillonne », que prône Charles Fourier dans sa *Théorie des quatre mouvements*... Question tempérament, nous sommes plus proches du général Alcazar des *Aventures de Tintin*.

Je suis un modeste et déjà trop vieux Terrien, inquiet pour les siens. Que faire ? Notre espèce injecte chaque année des millions de tonnes de substances toxiques dans les veines de Gaïa, et se persuade que ce sont les merveilles de la croissance. Notre engeance manie la tronçonneuse et la bétonneuse, et loue la grandeur de ses entreprises. Elle ravage à coups de Minamata, de *Torrey Canyon* et de Seveso le beau visage, la poitrine généreuse et le ventre fécond de la planète, et voudrait croire que c'est le progrès.

Homo sapiens ne représente nullement le sommet de la création ou de l'évolution, la perfection de la conscience et de l'esprit. Il n'en est qu'une ébauche « remplie de bruit et de fureur, et racontée par un idiot », pour reprendre Shakespeare.

La nature n'éprouve aucune pitié pour ses ratés. Elle les recycle. Elle nous recyclera.

Nous sommes nombreux à nous ronger les ongles en évoquant l'avenir de nos chromosomes et de nos gènes (davantage que la mouche, mais moins que le blé). Rachel Carson *(Printemps silencieux)*, René Dubos *(Nous n'avons qu'une Terre)*, Barry Commoner *(Quelle Terre laisserons-nous à nos enfants ?)*, Jean Dorst *(Avant que nature meure)*, René Dumont *(L'Utopie ou la mort)*, Théodore Monod *(Et si l'aventure humaine devait échouer)* ne débordaient pas d'optimisme. Jacques-Yves Cousteau (salut à mes amis de la *Calypso* !) avait cessé d'y croire. Albert Jacquard *(L'Équation du nénuphar)*, Hubert Reeves *(Mal de Terre)*, Nicolas

Hulot *(Le Syndrome du* Titanic*)* ou Jean-Marie Pelt *(Après nous le déluge ?)* ne sont pas plus guillerets.

Ceux qui regardent la réalité en face, qui ne se satisfont pas d'un « petit geste », d'une dérisoire « journée pour la nature » ou d'un nébuleux développement sur le « développement durable », sont au désespoir. Voyez-les se tordre les mains comme dans la tragédie antique. Ils clament la noirceur de nos destins par la grimace des masques. Ne sont-ils pas pathétiques, ces prophètes de malheur ? Ne sont-elles pas touchantes, ces Cassandres ? Sur l'Olympe, Zeus, Arès (la guerre) et Némésis (la vengeance) se saoulent à l'ambroisie ; même la sage Athéna roule sous la table. La Parque tranchera le fil de nos existences.

Nous avons entamé notre descente aux Enfers, après Orphée, Ulysse et Énée ; mais pour de moins bonnes raisons. Il nous faudra un miracle pour remonter.

Si nous décidons d'essayer, plus question de nous mentir à nous-mêmes ! Regardons-nous tels que nous sommes, et non pas tels que nous voudrions faire croire que nous sommes.

Notre espèce est sexuelle, territoriale et dominatrice. Le sang, la sueur et les larmes nous fascinent. Le train qui arrive à l'heure, le bateau qui touche au port, l'avion qui se pose nous laissent froids. Nous préférons le radeau de la *Méduse*, le *Titanic* et le 11 Septembre. *Panem et circense*s. De l'émotion, coco ! Du sang à la une ! Hémoglobine et adrénaline !

Les arènes sanglantes sont notre drogue.

Nous sommes agressifs par nature et pervers par culture. Nous déployons avec hypocrisie nos capacités de nuisance. Nous planifions le crime. Nous mettons en équations l'ignominie. Nous justifions nos bassesses par la coutume, la vengeance, la morale, la patrie ou la religion.

L'homme ne descend pas du singe : il procède des amours de la guenon lubrique et du marquis de Sade. Il incarne à la fois l'innocence de la jungle et le génie du meurtre. La vertu et le vice dans le lit de l'imposture ! Nous sommes tous assassins par fantasme ou par pulsion. Certains d'entre nous deviennent légionnaires ou mercenaires ; brigands ou forbans ; mitrailleurs ou égorgeurs. Les autres se planquent à l'arrière, veules et vils ; rédacteurs de lettres anonymes ; voleurs de terres indiennes, colons, négriers ou usurpateurs de biens juifs…

J'admets que je ne dresse pas un portrait affriolant de mon espèce. Mais c'est parce que je l'aime.

Vladimir Ilitch Lénine promettait aux peuples de l'empire russe « les soviets plus l'électricité ». Il leur a donné les soviets plus le goulag. Mais il avait une qualité : il connaissait le poids des mots. Il décrivait la social-démocratie comme « une planche pourrie ».

L'humanité entière est une planche pourrie. C'est avec ce matériau que nous devrons bâtir une utopie. Je crains que l'édifice ne reste bancal – si nous parvenons à le construire. Mais l'entreprise est passionnante. L'une des vertus de l'homme est qu'il adore les défis impossibles, les paris perdus d'avance, les horizons lointains, les abysses inaccessibles, les Himalayas de vertige, les voyages dans l'espace… Il possède un chromosome de Christophe Colomb ; un gène de Don Quichotte ; une vitamine de pionnier ; une protéine de pompier courage ; une hormone de la veuve et de l'orphelin…

L'homme n'a pas que des défauts effrayants : il a aussi des qualités ridicules.

Mais qui pourraient lui être salutaires.

***

Après tout, pourquoi une utopie ?

Le sauvetage de nos chromosomes et de nos gènes en vaut-il la peine ? Faut-il le souhaiter ? Que demande le peuple ? Allons-nous gaspiller beaucoup d'énergie à protéger un grand singe égoïste et cruel, qui n'a pas plus d'importance pour la planète que le scinque et l'ornithorynque, le crinoïde et le pycnogonide ?

Au contraire, la construction d'un supplément de destin pour notre genre représente-t-elle un devoir, et même un devoir « sacré » ? Une tâche historique ? La grande aventure du troisième millénaire ?

Édifier une nouvelle utopie me paraît d'autant plus ardu que toutes les utopies antérieures en sont restées au stade du projet nébuleux, ou ont dégénéré en dictatures dès qu'elles ont acquis un embryon de réalité. La dernière en date, paradoxalement la plus généreuse, donc la plus « humaine », je veux parler de l'utopie marxiste (« de chacun selon ses capacités à chacun selon ses besoins »), s'est effondrée avec le mur de Berlin, après avoir causé des dizaines de millions de morts de l'Union soviétique à la Chine, et de la Corée du Nord à Cuba.

C'est ici que j'entrevois un problème… Car je désire proposer à mes contemporains une autre utopie du partage ! Un mode de vie raisonné et pacifique, qui conviendrait à une humanité enfin consciente de sa fragilité, et que je baptise « le partage ou la mort ».

Un style d'existence altruiste et pacifique, poétique et amoureux de la Terre et des hommes, et que je nomme « le bonheur en partage »…

***

L'entreprise est-elle impossible ou ridicule ? On verra. Elle présente les symptômes de la crise délirante. Mais je me débats et j'argumente. Je me convaincs qu'il en sortira quelque chose.

Le handicap (pour ne pas dire le péché) originel de notre espèce (son fonds un peu nazi) est-il soluble dans cette « volonté bonne » que définit ainsi Emmanuel Kant dans le *Fondement de la métaphysique des mœurs* : « De tout ce qu'il est possible de concevoir dans le monde, et même en général hors du monde, il n'est rien qui puisse sans restriction être tenu pour bon, si ce n'est une volonté bonne » ?

Parier sur la bonne volonté ! Autant, diront certains, tenter de traverser le lac Michigan à la nage avec un bloc de béton de la mafia attaché aux pieds ! Je vois ricaner les sceptiques. Je les entends me traiter de fada ou de monomaniaque, selon l'humeur.

Voire de philosophe ou d'écologiste…

Je sais que je suis peu crédible, mais je me cramponne à mon idée comme un morpion. Comme un pou du pubis – ce mal-aimé de l'humanité qui aime l'humanité au point de ne la quitter que pour mourir !

Ma conception harmonique et ironique de la société des hommes n'a guère plus de chances d'aboutir que les précédentes – celles de Platon, Rabelais, Thomas More, Campanella, Cyrano de Bergerac, Cabet, Fourier, Saint-Simon, Proudhon ou Marx. Au mieux, elle finira grignotée par les rats sur un rayon de bibliothèque. Au pis, elle entrera dans l'Histoire avec un cortège de cadavres.

Mais je n'écrirais rien si je ne nourrissais le secret espoir que cela pourrait fonctionner. L'*Homo sapiens* n'a plus guère de solutions. Pour lui, désormais, c'est marche ou crève ! Invente ou disparais ! Trouve ton chemin ou finis dans l'intestin de l'asticot, avant d'être recyclé en humus par les bactéries…

Personne ne force notre espèce à survivre.

Nous pouvons décider que cela suffit ; que nous allons disparaître ; et que le plus tôt sera le mieux.

Nous pouvons convenir que l'extinction de notre genre constituera notre plus merveilleuse folie. L'apogée tragi-comique de notre évolution. La quête drolatique de notre Graal. La preuve par l'absurde que, pour persévérer dans son être, mieux vaut ne pas être à l'image de l'homme : doué de conscience, d'affectivité et d'intelligence…

Dans cette hypothèse, tel le bouillant Achille, nous aurons choisi une existence courte et glorieuse plutôt que longue et ennuyeuse.

C'est une option qui peut convenir aux vivants, mais qui défavorise sensiblement les générations futures.

* * *

À quoi bon ?

Le sauvetage de l'humanité n'est utile qu'à l'humanité elle-même.

Avons-nous raison de vouloir à tout prix rabibocher notre espèce avec sa biosphère, quand tout laisse imaginer que ces entités ne se supportent plus ? Ne vaudrait-il pas mieux voir disparaître l'*Homo sapiens*, ce ravageur qui entraînerait des cortèges de créatures dans sa débâcle, mais dont l'extinction laisserait assez de rescapés pour que la vie reparte vers d'autres horizons ?

Si nous sommes à ce point suicidaires, expirons fièrement ! Concluons notre représentation par un feu d'artifice ! Faisons de notre dernier soupir un orgasme... J'imagine le bouquet final, tonitruant et sublime ; avec des champignons nucléaires aux géométries fractales ; des nuages de gaz aux couleurs de drapeaux ; des bubons de peste comme dans une peinture de Jérôme Bosch ; des râles d'agonie aux accents de Mozart ; et des aurores boréales de radiations nucléaires !

Représentons-nous l'extase ! Peignons-nous l'éclat du dernier jour... Imaginons les corps grelottants de fièvre. Songeons aux naissances monstrueuses qui suivraient la destruction de la couche d'ozone. Tentons de concevoir, dans la manière de Cecil B. De Mille, les tsunamis du réchauffement climatique... De même que nous frissonnons en regardant les *Têtes de suppliciés* de Géricault ou la *Mort de Sardanapale* de Delacroix ; de même que nous sommes subjugués par *Les Cent Vingt Journées de Sodome* de Sade ; de même nous puiserions une jouissance suprême à contempler notre spasme final.

L'humanité peut se faire exploser comme un kamikaze en mer du Japon ou un martyr d'Allah sur un marché de Bagdad. Dans cette hypothèse où se mêleraient Shakespeare, H.-G. Wells et le Jarry d'*Ubu roi*, notre pièce de théâtre deviendrait définitivement dérisoire. En rendant notre âme à Dieu et notre corps au grand magasin des molécules, nous pourrions réciter ces vers de la *Danse macabre* de Baudelaire :

En tout climat, sous tout soleil, la Mort t'admire
En tes contorsions, risible Humanité !

***

Notre disparition violente et définitive aurait de la gueule.

D'un autre côté, je préférerais éviter cette issue à mes enfants. Le souci de la progéniture : revoilà le gène égoïste dans son emploi moral...

J'aimerais, *a minima*, que « l'aventure humaine » (pour reprendre l'expression de Théodore Monod) ne s'achève pas dans d'horribles épidémies, carnages et gémissements ; dans des désastres plus atroces que ceux qu'a gravés Jacques Callot dans *Les Misères et Malheurs de la guerre* ; ou ceux qu'a décrits Grimmelshausen dans *Les Aventures de Simplicius Simplicissimus*.

Que faire ? Par où commencer ?

Pouvons-nous ramasser çà et là des parcelles d'espoir comme on trouve des paillettes d'or au Klondike ? Reste-t-il un espace pour le rêve ? Irons-nous vers cette utopie du partage et du bonheur dont je veux croire qu'elle nous épargnerait le pire de la guerre, de la faim, de la soif et des convulsions climatiques ?

Pour le scientifique, le mot « optimisme » n'a aucun sens : seuls existent l'observation et l'hypothèse. Seuls comptent les causes et les effets, les prémices et les conclusions.

Mais la biologie, l'écologie, l'éthologie, l'histoire, l'économie, la sociologie, la psychologie sont loin de n'être que des sciences. L'humanité les repeint aux couleurs de l'espoir, du projet, de la morale et de la religion.

Y trouverons-nous des ressources nouvelles ?

Excepté Dieu qui sanctionne ou qui pardonne (mais où se cache-t-il, celui-là ?), nul ne s'intéresse à notre sort. La Terre, le Soleil, les étoiles se moquent que nous poursuivions notre cours. Notre situation devient critique, mais nous semblons paralysés. Obnubilés par le quotidien, hypnotisés par la sacro-sainte consommation comme la souris par le serpent.

Parviendrons-nous à nous réveiller ? Je veux dire : pas dans mille ans, mais aujourd'hui même ? L'Histoire inventera-t-elle, en notre faveur, l'une de ces ruses dont elle a le secret ? Ou bien devrons-nous chanter, une dernière fois, avec le romantique allemand Jean-Paul Richter (dans *L'Anéantissement* : encore un beau titre !) :

« Nous avons souffert et nous avons espéré ; mais nous voilà détruits ! »

Nous sommes seuls dans l'univers. La matière et l'énergie jouent leur musique, nous y ajoutons notre partition, mais si nous faisons des fausses notes, nous serons expulsés de l'orchestre.

Pour survivre, comme disait le président Mao, dont les *Œuvres complètes* et les gardes rouges n'ont tué que plusieurs dizaines de millions de Chinois, « nous devons compter sur nos propres forces ». Le sage n'a pas le monopole des vérités. Le dictateur en prononce aussi.

Tentons d'édifier notre ultime utopie en partant de ces prémices : nous sommes plus près de la Bête que de la Belle ; du démon que de l'ange ; du tortionnaire que de l'abbé Pierre.

Cela s'appelle le principe de réalité.

Ou le début de la sagesse.

Quelle était la question ?

L'humanité gémit, à demi écrasée sous le poids des progrès qu'elle a faits. Elle ne sait pas assez que son avenir dépend d'elle. À elle de voir d'abord si elle veut continuer à vivre.

HENRI BERGSON
Les Deux Sources de la morale et de la religion

On n'a pas oublié la blague de Woody Allen : « Voici la réponse… Mais quelle était la question ? »

Nous passons notre temps à éluder des interrogations décisives et à résoudre des problèmes que personne ne se pose.

L'humanité a-t-elle un avenir ?

Pour traiter de ce sujet désespéré mais pas grave, et qui ne passionne pas grand monde dans l'univers, je veux garder un ton et m'imposer une ambition.

Le ton restera celui de l'humour, et le plus noir sera le mieux. Si je dois dévorer à nouveau des bébés pour les besoins de la démonstration, j'accomplirai mon devoir avec courage. Mettez-moi de côté quelques tranches de chair fraîche ! Pour un ogre, croquer le marmot fait partie du cahier des charges. N'allez pas croire qu'il s'agit d'un délicieux fantasme.

Quant à l'ambition, la voici.

J'avais le cœur en lambeaux en écrivant *L'Humanité disparaîtra, bon débarras !* On n'explique pas sans une certaine contrariété que l'espèce à laquelle on appartient incarne la plus agressive et la plus ravageuse de toutes celles que la Terre a portées… Je n'ai pas publié cet essai, et sous ce titre provocant, pour me satisfaire d'une *Sortie de secours* qui consisterait en un catalogue de solutions « technico-techniques », comme on dit dans le jargon du football. Je pratique la philosophie. C'est un sport aussi rude que le ballon rond : dans les deux cas, on décime ses neurones en jouant de la tête.

En tant que professionnel de la baballe, je me demande si je n'ai pas déjà perdu trop de matière grise au fil des matches ; si je n'ai pas quitté le camp d'entraînement de l'équipe championne du monde, avec les Platon, Aristote, Descartes, Kant, Hegel et autres vedettes (Sartre à l'aile gauche, Heidegger à l'aile droite), pour rejoindre un ramas d'espoirs ratés, trop enrobés, trop imbibés et sans souffle.

Je continue par masochisme.

***

« Vérité, sagesse, raison, vertu, nature sont des termes équivalents pour désigner ce qui est utile au genre humain. » Ainsi parle le baron d'Holbach, dans son *Essai sur les préjugés* (1770).

Nous n'avons plus beaucoup de temps et il nous faut viser haut. Mobiliser les grands mots. Rameuter les concepts. Leur offrir une substance.

Vérité, sagesse, raison, vertu, nature…

Si Dieu existe (ce que nie le matérialiste d'Holbach), il sait à quel point ces vocables sont difficiles à mettre en harmonie. Pour continuer notre aventure, nous devons nous vouer à cette tâche.

Nicolas Hulot, avec qui j'ai côtoyé les ours et les volcans du Kamtchatka, s'y emploie dans son dernier ouvrage, *Pour un pacte écologique*. J'aimerais qu'on suive ses pistes. Que les décideurs, les politiques, les citoyens signent son texte et donnent du corps à ses impératifs. « Dix objectifs ». Et « cinq propositions » : un vice-Premier ministre chargé du développement durable ; une taxe sur le carbone ; la réorientation de l'agriculture vers la qualité ; la consultation du public pour tout ce qui concerne le développement durable ; et une véritable politique d'éducation nationale dans le domaine de l'écologie.

À mes yeux, tout cela ne constitue cependant qu'un modeste début. Un plus petit commun multiple... Je voudrais tellement que nous affichions une ambition plus vigoureuse !

Alors que se noue l'avenir de l'humanité (laquelle se vautre sur sa planète comme un hippopotame dans une mare devenue trop petite), je considère que mon rôle de philosophe ne saurait se limiter à fournir un code de bonne conduite, une liste de « Faire, ne pas faire ». Je n'ai guère envie de dresser un catalogue de grand magasin des recettes de l'écologie quotidienne.

Je n'en ai pas le désir, je l'avoue, notamment parce que je déteste les grands magasins. Ces ventres de la consommation me consternent. Malgré leurs enseignes dévoratrices d'électricité, ils figurent parmi les endroits les plus tristes de la Terre. Durant les périodes de fêtes, ils constituent une incitation au suicide. Quand j'y pénètre (rare occurrence !), j'ai l'impression d'être une coccinelle qu'une vache aurait avalée par mégarde, et qui barboterait dans la bouillie digestive des quatre poches de l'estomac (panse, réseau, feuillet, caillette), puis de l'interminable intestin du ruminant. J'ai hâte de trouver l'issue et de ressortir par l'arrière. Avec une bouse ! Je veux dire : sur l'immense parking où chacun entasse ses achats dans sa voiture, avant de démarrer en lançant dans l'atmosphère des trains de vents culiers riches en hydrocarbures, oxydes d'azote, dioxyde de carbone et autres gaz à effet de serre.

Le grand magasin me fournit, certes, du pain, du vin et du boudin. Mais il est conçu pour me faire acheter des objets pour lesquels je n'ai normalement pas d'appétence. Le processus scientifique, technique et sociologique que nous baptisons « progrès », et qui s'est emballé avec la machine à vapeur et le moteur à explosion, a (en résumé) consisté à faire passer l'humanité du stade du souk à celui du supermarché.

Ce ne fut pas une ascension, mais une chute.

Notre deuxième expulsion du Paradis terrestre...

Je préférerai toujours le souk à la grande surface. On s'y balade. On y farfouille. On y bavarde. On y plaisante. Le vendeur empoche un petit bénéfice. Le client ne remplit pas son chariot comme l'alcoolique son verre ou l'héroïnomane sa seringue. Les acteurs échangent autre chose que de l'argent et des marchandises : un sourire, des phrases, des émotions, des parcelles de sentiments. Rien de semblable dans le supermarché. Hormis le : « S'il vous plaît, le rayon boîtes pour chats ? – Juste derrière les lessives », je n'y discute avec personne et nul ne m'y interpelle. La caissière s'y résume à l'extension robotisée de sa main : le lecteur de code-barres. Elle ne parle plus, elle fait « bip ». Comment voulez-vous dialoguer avec un lecteur de code-barres ? Nous ne sommes pas formatés pour qu'il nous déchiffre. Nos rayures ne sont ni parallèles, ni noir et blanc : nous sommes tordus et en couleurs.

(Je me remémore, au coin de ce paragraphe un peu vif, que le supermarché vend aussi mes livres. Ami lecteur, ne me dénonce pas au Dragon Chiffre d'Affaires : il ne m'a pas repéré !)

***

Je récuse le catalogue de supermarché.

Je veux parler à l'*Homo sapiens* sevré (fût-ce un moment) de la drogue publicité ; déconditionné (au moins une journée) de la dictature du marketing. À celui qui s'esclaffe sans rires préenregistrés et pleure sans télé-réalité ; qui parle pour ne rien dire et raconte des idioties ; qui se met en colère et joue les imbéciles ; qui obéit à ses désirs, se laisse porter par l'amour et s'envole sur les ailes de son délire.

Sans rien avoir acheté !

Cet *Homo sapiens*-là me plaît. Il est imprévisible, mais je lui fais confiance.

Une autre raison pour laquelle je répugne à dresser une liste de conseils « de bon sens » est que je ne crois guère à leur efficacité. Tout le monde se fiche de ce genre de recommandations. Au mieux, par politesse ou par hypocrisie, l'auditeur fait semblant d'écouter. Au pis, il ridiculise le conseilleur et lui reproche de ne pas être le payeur. Les sermons ne sont entendus ni en religion, ni en politique, ni en écologie. Tout le monde se trouve toujours de bonnes raisons d'avoir péché et de devoir fauter encore. Chacun attend, pour faire sa B.A., que l'autre – le voisin, le concurrent, l'ennemi, voire l'ami – ait commencé.

Nous n'aboutirons à rien par la leçon de morale et le prêche. Nous n'avancerons pas si nous n'essayons pas de maîtriser les forces essentielles qui dictent nos conduites.

Nous vivons dans un labyrinthe intérieur où nos fantasmes nous tiennent en esclavage. Nous cherchons des issues. Pour conserver une chance d'en réchapper, je me persuade que nous devrions, une fois pour toutes, nous autoriser à explorer le magma de nos désirs. À forer des galeries dans les strates de nos névroses. À contempler ce que nous avons (dirait Cavanna) dans « les boyaux de la tête »...

Telle la « vieille taupe » de Karl Marx, j'ai décidé de creuser. Je veux gagner les étages inférieurs de notre personnalité. Je désire visiter ces tréfonds de notre être, ces zones interdites, ces abîmes de mystère et de barbarie, mais aussi d'art et de poésie, dont nous n'avons souvent pas de quoi être fiers, mais d'où nous pourrions peut-être, un jour, extirper le meilleur.

Je ne veux pas, non plus, donner l'impression de me défiler. Question caractère, je suis resté très gamin. J'ai ma fierté mal placée. Si quelqu'un me dit : « Chiche ! » ou « T'es pas cap' ! », j'y vais. J'essaie d'escalader la roche ou de sauter le ruisseau... Tel l'écolier du cours élémentaire, le philosophe a besoin de stimulations, je n'ose dire : de coups de pied au derrière ou de fessées. En général, il se sent seul. Nul ne s'occupe de sa vie : raison pour laquelle il se mêle de celle des autres. Lorsqu'on lui demande son avis, il se gargarise. Il est comblé quand on le jette en prison ou qu'on lui fait boire la ciguë : signe que sa pensée importe.

Faire, ne pas faire...

Ce catalogue existe, pourtant. Je l'ai dans la tête. Je peux le dérouler, ici et maintenant. Certains me disent « Chiche ! » : je vais donc m'y employer... L'exercice aura au moins le mérite de mettre bout à bout quelques idées simples. Et de donner mauvaise conscience à ceux qui ne sont pas décidés à consentir le moindre début de commencement d'effort...

Je vois cet inventaire – vert – à la Prévert comme une mini-comédie musicale à jouer à l'école primaire ; une ébauche d'opérette puérile pour fête de fin d'année, dont les personnages seraient un philosophe à barbe blanche et des enfants à la voix pure, qui enjoliveraient les paroles du sage avec des comptines comme *Mon beau sapin*, *Jingle Bells* ou le vieil hymne écologiste : *Une souris verte...*

Le maître parle en pontifiant.

Les gamins miment, chantent ou dansent.

Synopsis.

***

Mes enfants, nous avons de la chance. *(Les gosses : « Ahhh ! »)*

Mais ça pourrait ne pas durer. *(« Ohhh ! »)*

Notre planète est belle et précieuse. Le problème est que nous n'en n'avons qu'une. La Terre est grande en apparence, petite en réalité. Elle a besoin de nous. Il est temps que nous prenions conscience de sa fragilité et que nous traduisions cette conviction en actes. Nous devons nous sentir solidaires de tous les êtres humains, qu'ils soient nés ou à naître : or, nous sommes de plus en plus nombreux. Nous devons demeurer modestes et nous considérer comme une infime division du grand cortège des vivants, au même titre que le poisson, la grenouille ou l'éléphant.

Il nous faut apprendre le respect.

Nous tenons notre avenir dans nos mains. Nous sommes responsables vis-à-vis de nous-mêmes et surtout des générations futures. Nous n'avons plus un jour, plus une minute à perdre. Nos habitudes, nos comportements, nos gestes doivent changer. Si nous désirons poursuivre notre aventure en ce monde, il nous faut fabriquer nos produits, les consommer et gérer nos déchets avec sagesse.

Certains disent que nous pourrions inventer une forme de développement « durable ». D'autres soutiennent qu'aucun développement ne sera jamais durable dans un système physique ou écologique fermé : je crains que ces derniers n'aient raison. Dans les deux cas, la conséquence est claire : nous devons diminuer notre impact sur la biosphère. Alléger notre empreinte écologique. Chacun de nos gestes a son importance. Ce que nous mangeons, ce que nous buvons, nos moyens de transports, nos appareils de chauffage ou de réfrigération, nos habitations, nos magasins, nos fermes, nos usines, nos bureaux : tout compte.

Ce sera difficile. Mais gardons courage !

Certes, nous avons la désagréable impression que ce que nous accomplissons pour la biosphère ne sert à rien : je suis trop petit, pensons-nous, donc insignifiant. À quoi bon tant d'efforts, puisqu'ils seront emportés par le tsunami des nuisances ?

Méfions-nous des points de vue réducteurs. En réalité, nous sommes dotés d'une puissance considérable. Si nous additionnons nos millions d'actions individuelles, nous devenons décisifs. Un exemple... Supposons que les conducteurs des huit cent millions d'automobiles qui roulent dans le monde décident d'économiser un litre d'essence par jour en parcourant dix kilomètres de moins : un petit sacrifice pour chacun, un résultat pour tous. L'épargne quotidienne totale de carburant serait de huit cent millions de litres. Trois cent millions de mètres cubes par an. Ou un milliard huit cent millions de barils, c'est-à-dire (à soixante dollars le baril) cent milliards de dollars. Selon la FAO, il faudrait beaucoup moins d'argent pour résoudre le problème de la faim dans le monde.

Même raisonnement pour nos consommations de fioul domestique, d'électricité, d'eau, de bois, de matériaux de construction, de métaux, de pâte à papier, d'engrais, de pesticides, que sais-je ?

De dynamite ou de TNT pour nos bombes...

Mes enfants, prenons conscience de nos actes !

Accomplissons les bons gestes pour la planète : ce sont les meilleurs pour notre espèce. Devenons des citoyens de la Terre, montrons l'exemple et conduisons nos responsables économiques et politiques sur les routes fleuries de la raison...

Notre mouvement fera tache d'huile, et l'avenir du globe cessera d'être aussi sombre.

Commençons par calculer l'impact de nos activités sur les milieux naturels. Posons-nous les bonnes questions – celles qui fâchent :

1. Qu'est-ce que je mange ?

Est-ce que j'achète des produits frais, des légumes de saison, de bons fruits mûrs et une majorité de substances végétales ? Ou est-ce que je préfère les plats carnés, les surgelés ou les tout préparés, les cerises en hiver, les filets de perche du Nil et les légumes qui arrivent en avion, suremballés, depuis l'autre hémisphère ? Est-ce que j'ai bien conscience que chaque citoyen d'un pays riche fabrique, dans sa vie, sept cent cinquante fois son propre poids en déchets domestiques ?

2. Comment mon logement est-il chauffé ?

Est-il doté d'une isolation correcte ? D'un double vitrage ? Ma chaudière fonctionne-t-elle au fioul ou au gaz ? Ai-je des radiateurs électriques ? Ai-je pensé à m'équiper d'une installation qui utilise les énergies renouvelables (soleil, vent, bois, géothermie...) ?

3. Quels sont mes moyens de transport ?

Est-ce que je me déplace en moto, en automobile, en quatre-quatre, ou en empruntant les transports en commun ? Est-ce que j'utilise mon vélo ou mes deux pieds ? Si je prends l'avion, j'ajoute cent mauvais points à mon score de mauvais élève ; mille si j'y grimpe souvent : en effectuant un aller simple Paris-New York, un avion de ligne consomme autant d'oxygène que n'en génère la forêt de Fontainebleau en un an !

4. Quels sont mes modes de consommation ?

Est-ce que je n'achète que les marchandises dont j'ai vraiment besoin, après y avoir réfléchi, en refusant les gadgets, les produits qui gaspillent l'énergie, ceux qui portent atteinte à la biodiversité et ceux qui polluent l'eau, l'air et la terre ? Est-ce que je trie mes déchets ? Est-ce que je les recycle ? Est-ce que je limite mes émissions de gaz à effet de serre ?

***

Nous devons prouver le mouvement en marchant...

Et suivre l'injonction du mahatma Gandhi : « Incarne toi-même le changement que tu voudrais voir dans le monde. »

Je pourrais poursuivre mon idée de petit théâtre de l'écologie à l'école primaire. Mais je ne veux pas abuser d'un stratagème. Je me propose de résumer plus sèchement la suite, en reprenant les recommandations de bon sens qu'on trouve dans nombre de livres et de brochures.

Memento – en latin, « je me souviens ».

1. À la maison, je profite de la lumière du jour. Je m'éclaire avec des ampoules basse consommation. Je proscris les halogènes. J'éteins les lumières. Je ne laisse en veille (les trois quarts de leur consommation ordinaire) aucun appareil électrique. Je baisse le chauffage (un degré Celsius de moins, sept pour cent d'économie sur la facture, neuf pour cent de gaz carbonique en moins dans l'atmosphère). J'installe des thermostats d'ambiance (vingt-cinq pour cent d'économie). En été, j'utilise des protections solaires (stores, etc.) plutôt qu'un système de climatisation.

2. À la cuisine, j'achète des légumes de saison (un kilo de tomates hors saison provoque, en transport et conservation, la formation de plus d'un kilo de gaz carbonique). J'évite d'utiliser tout ce qui est jetable (lingettes, papier essuie-tout, etc.). Je refuse

le suremballage (les emballages constituent la moitié du volume total de nos déchets). J'économise les énergies de cuisson. Je trie mes poubelles (résidus organiques, verre, papier, plastiques, métaux). Je bois l'eau du robinet plutôt que de l'eau minérale. Je nettoie et j'entretiens mon réfrigérateur. Je fais fonctionner mon lave-vaisselle sur le programme « éco ». J'évite les détergents suractifs.

3. Pour mon alimentation, je préfère les produits de saison. Je favorise le « bio ». Je combats les OGM. Je me méfie des antibiotiques et des hormones dans les viandes industrielles. Je surveille les additifs et les conservateurs chimiques. Je ne deviens pas forcément végétarien, mais je limite ma ration carnée : pour obtenir un kilo de bœuf, il faut dépenser quinze kilos de céréales, sept litres de pétrole et dix mille litres d'eau ; vingt hectares de terre produisent assez de bœuf pour nourrir dix personnes, ou assez de blé pour en satisfaire cent vingt.

4. Dans la salle de bains, je préfère la douche au bain (soixante-quinze pour cent d'économie). Je traque les fuites (en moyenne, quinze pour cent de ma facture d'eau). Je réduis le débit de la chasse des W-C. Je ferme les robinets (un robinet qui coule inutilement pendant vingt secondes, dix fois par jour, gaspille cinquante litres dans la journée, soit vingt mille litres par an). J'utilise des lessives dégradables. Je choisis le programme le plus économique pour mon lave-linge et je fais sécher sur un fil (plus de cinq réacteurs nucléaires servent, en France, uniquement à actionner nos appareils de lavage). Je ne jette jamais dans l'évier mes médicaments périmés.

5. Dans la chambre, je modère la température. J'ajoute une couverture plutôt que de pousser le

chauffage. J'éteins la lumière en sortant (vingt pour cent de toute l'énergie électrique consommée en Europe se disperse en éclairage).

6. De la cave au grenier, je réutilise tout ce qui peut l'être (meubles, appareils ménagers, vêtements, papiers, etc.). Je proscris les matériaux toxiques (peintures au plomb, solvants, formaldéhyde...). J'isole les murs et le toit pour limiter les pertes de chaleur. Je recours aux énergies renouvelables. Je récupère les eaux de pluie.

7. Au jardin, j'économise l'eau. Je cultive les espèces les mieux adaptées au sol et au climat locaux. Je fabrique mon compost en recyclant notamment mes déchets de cuisine. Je refuse les engrais et les pesticides chimiques. J'organise la lutte biologique contre les parasites. Je favorise la diversité végétale et animale en installant des nichoirs, en laissant fleurir les plantes sauvages, en accueillant les insectes (papillons, abeilles, coccinelles...) comme des amis, et non à coups d'insecticides.

8. Au garage, j'entretiens soigneusement mon véhicule, dont la consommation dépend des réglages. Je gonfle bien mes pneus. Je collecte les produits polluants (huiles de vidange, etc.) que je dépose dans des lieux de traitement agréés. Je me souviens qu'une seule goutte d'huile de vidange contamine mille fois son volume de terre et un million de fois son volume d'eau.

9. Pour les trajets courts, je marche à pied ou je roule à vélo ; les petits déplacements en voiture gaspillent énormément d'énergie (de cinquante à quatre-vingts pour cent de surconsommation au premier kilomètre). Si je veux aller plus loin, j'opte pour les transports en commun (j'en réclame s'ils

font défaut) ou le covoiturage. Je réserve ma voiture aux voyages peu fréquents. Je choisis les carburants les moins polluants. Je privilégie les moteurs hybrides (essence et électricité). Je refuse la « clim » dans mon véhicule. Je démarre et je roule en douceur. Je coupe le contact à chaque arrêt.

10. Au bureau, je baisse le chauffage. J'économise l'électricité. J'utilise moins de papier. Je préfère le recyclé (pour chaque tonne de recyclé, mille cinq cents tonnes d'économie de pétrole et vingt-cinq mille tonnes d'économie d'eau). Je ne photocopie qu'en cas de vrai besoin (douze ramettes économisées, un arbre sauvé). J'imprime recto et verso (chaque année, chacun de nous consomme en papier l'équivalent de cinq arbres ; tandis que près de la moitié du bois exploité dans le monde sert à produire de la pâte). Je récupère les cartouches d'encre. Je bois l'eau du robinet plutôt que celle de la « fontaine en plastique »...

11. Où que je me trouve, je répare au lieu d'acheter neuf. Je recycle ce qui peut l'être (les trois quarts du contenu d'une poubelle sont recyclables, à peine dix pour cent sont réellement recyclés). Je favorise les produits issus du commerce équitable. Je protège les forêts tropicales en utilisant les bois de mon pays. Je voyage le moins possible en avion. Je n'achète aucun animal vivant (poisson, reptile, oiseau...) ni aucun produit « exotique » (corail, écaille, fourrure, ivoire...) qui risque de mettre en danger une espèce ou un écosystème.

D'une façon générale, je me préoccupe de la Terre, ma mère. Je préserve sa beauté, sa variété, sa féerique fragilité. Je signe un pacte de bonne conduite avec elle. Je me souviens du mot d'Henry David Thoreau, le « père » de l'écologie américaine :

« Aimer la nature, c'est éminemment aimer l'homme. »

Je médite cet autre texte de Théodore Roosevelt, président des États-Unis, impérialiste convaincu mais prophète de l'écologie dans son pays (*Conférence sur la conservation des ressources naturelles*, 1908) : « Nous nous sommes enrichis de l'utilisation prodigue de nos ressources naturelles et nous avons de justes raisons d'être fiers de nos progrès. Mais le temps est venu d'envisager sérieusement ce qui arrivera quand nos forêts ne seront plus, quand le charbon, le fer et le pétrole seront épuisés, quand le sol aura été appauvri et lessivé vers les fleuves, polluant les eaux, dénudant les champs et faisant obstacle à la navigation. »

Je hume la brise et je chante *En montant au pavillon de la Joie* avec le poète chinois du XIe siècle Houang T'ing-kien :

Mon regard chavire sous l'effet du bon vin.
Sur la barque qui me ramène de très loin,
J'égrène quelques notes sur mon long pipeau :
Et mon cœur fait serment d'amitié avec la blanche mouette.

Mon cœur fait serment d'amitié avec toute la nature !

***

Économiser, recycler, réparer, préserver, protéger...

Ces conseils sont pertinents et dignes d'être écoutés.

Mais tellement disproportionnés par rapport à

l'ampleur des problèmes ! Si loin de la brutalité des saccages ! Tellement en dessous de la gravité de la situation ! Tellement dépassés par l'urgence !

Ces sermons sont à la fois nécessaires et insuffisants…

Au reste, ce sont (pour la plupart) des prescriptions à l'usage des nantis. « Éteignez les lumières ! » fait comprendre que vous avez l'électricité. « Roulez moins ! » implique que vous conduisez une voiture. « Mangez moins de viande ! » présage que vous souffrez rarement de la famine. « Buvez l'eau du robinet ! » ne se justifie que si vous avez accès à l'eau potable – ce qui n'est pas le cas pour un milliard trois cents millions d'humains.

Ces recommandations de civisme et de bon sens s'adressent aux plus riches – ou aux moins pauvres. Ces avertissements sont utiles, mais gentillets. Ils ne mettent en cause rien de ce qui est essentiel. Ils ne touchent que les marges de nos sales habitudes. On pourrait être plus méchant et assener qu'ils constituent une façon de nous rassurer et de nous donner bonne conscience ; que ce catalogue se rapproche, sinon de la poudre aux yeux, du moins du saupoudrage.

Je n'irai pas jusque-là. Il faut commencer quelque part. On a besoin d'appuyer sur le démarreur. Il importe de ne pas décourager les volontés en marche. Les petits ruisseaux font les grandes rivières et les grandes rivières les petites mers. La combinaison des initiatives individuelles engendre souvent de grands effets.

Mais je reste terrifié par notre propension à nous contenter du moindre effort. Le protocole de Kyoto sur la réduction des émissions de gaz à effet de serre – cet exemple du pas grand-chose qui aboutit à presque rien – est en discussion de marchands de tapis depuis des années, et n'est pas près d'être ratifié par certains grands pays ; alors que, pour éviter le réchauffement climatique, nous devrions déjà avoir négocié un accord bien plus contraignant...

Les vraies filouteries me choquent encore davantage. Certains profiteurs gagnent de l'argent en faisant croire qu'ils protègent la nature. Depuis quelques années, par exemple, on commercialise des « droits à polluer ». Les industries les plus puantes, les plus crasseuses, les plus ignominieuses, les plus irresponsables s'octroient des tonnages de gaz carbonique ou d'autres substances délétères à cracher dans l'environnement, et revendent une partie de ces privilèges, lesquels sont aussitôt cotés en bourse !

Autre combine nauséabonde : on essaie de nous faire avaler le caractère écologique d'une embrouille baptisée « compensation ». Certains brûlent de grandes quantités de carburants fossiles et affirment se rattraper en finançant des programmes de plantations de forêts dans les pays du Tiers Monde. « Foutage de gueule » ! dirait Coluche... Car le pétrole ou le charbon prétendument « compensés » sont bel et bien brûlés. Le gaz carbonique se retrouve physiquement dans l'air et réchauffe le climat. Le mécanisme ne fonctionne que parce qu'il existe des pauvres qui ne consomment quasiment rien. Si tout le monde se mettait à vouloir « compenser », l'absurdité du système sauterait aux yeux.

Ainsi sommes-nous, humains mes frères...

Il nous faudra du courage et de l'opiniâtreté pour triompher à la fois des dangers qui nous guettent et de notre aptitude à rejeter le poids de nos fautes sur nos voisins ou sur des boucs émissaires.

Je vais finir par penser ce que Jean Giraudoux met dans la bouche d'un des personnages de sa pièce *Intermezzo* : « L'humanité est… une entreprise surhumaine ! »

***

Joli mois de mai breton à Belle-Île.

Une énorme houle venue d'Amérique explose sur les écueils de Port-Coton : mer blanchie, prodigieuse énergie. Je scrute une flaque littorale : la blennie et la crevette y côtoient l'anémone-fraise et la laitue de mer. Dans le ciel où les nuages jouent les esprits du large, le fou de Bassan plane : tête jaune et maquillage de khôl. Je m'envole. J'emprunte avec l'oiseau une route aérienne inaccessible aux humains raisonnables : la diagonale du fou…

Je me retrouve, sans savoir comment, dans l'herbe salée du haut de la falaise. Je renifle un parfum proche de la pourriture. Les effluves proviennent d'une chose de science-fiction. Un amas ovoïde, de la taille d'une balle de golf. Une bulle de lanières roses, charnues, alvéolées, dont la face interne est enduite de caca d'oie (même aspect, même texture, même odeur). L'objet évoque les rubans à une seule face de Moebius ou les architectures impossibles du graveur Escher. Cette créature qu'on jurerait tombée d'une autre planète, ou sortie de l'esprit torturé de Lovecraft, est un champignon : le clathre grillagé, ou cancellé. Un cousin du phallus impudique. Une production de l'humus assujetti par la drogue.

La vie est une perpétuelle surprise. Elle feinte, elle ruse, elle se dérobe pour mieux reparaître. Elle pratique l'illusion d'optique ou d'acoustique. Elle dribble la raison raisonnante. Elle propose du gros où l'on attend du mince, du rouge sur du vert, des fleurettes sur un géant de la forêt, une épée dans la bouche du narval et un bec de canard pour l'ornithorynque. En bricolant la molécule d'ADN, elle a créé des millions d'espèces. Un milliard, peut-être, depuis l'origine. Environ dix millions nous côtoient sur la planète actuelle. Feuilles, fleurs, ailes, nageoires, écailles, plumes, poils : adorables délires ! Chaque variation me fournit une émotion. La vie est à la fois musicien, peintre, sculpteur, cinéaste et poète ; mais aussi mathématicien, physicien et jardinier. Elle ne craint pas le mélange des genres. Elle juxtapose le baroque et le classicisme, le romantisme et le réalisme, l'impressionnisme et le cubisme. Sans aucune faute de goût !

Or, sur cette falaise de Belle-Île, le nez sur le clathre grillagé, je suis terrifié par la menace. Tant de rivages, de marais, de lagunes, de forêts, de montagnes sont saccagés ! Équipements touristiques, industriels ou commerciaux ; fric et béton ; macadam et pognon ! Je sais la cause de ces dégâts : l'homme déteste les surprises. Il leur préfère les situations prévisibles et les ornières. Il aime les territoires qu'il restructure, balise et cadastre ; qu'il rend géométriques ; qu'il débarrasse de leurs « bêtes nuisibles » et de leurs « herbes folles ». Assainis, aseptisés, sécurisés…

L'*Homo sapiens* peut-il imaginer une seconde qu'il trouvera le bonheur dans cette sécurité d'artifice ? Si notre espèce continue de ravager la biosphère, elle n'abolira ni la surprise, ni le danger, puisqu'elle continuera de risquer le volcan, le tremblement de terre, le tsunami, l'ouragan, l'accident de la route ou du travail, le crime, le désastre écologique et la guerre – classique ou nucléaire. Mais elle se privera de millions de trésors génétiques, végétaux et animaux, qu'elle restera à jamais incapable de recréer. Elle aura tranché le fil des évolutions.

Tentons de nous représenter un monde de total artifice. La Terre, peuplée de vingt milliards d'humains, est couverte de bâtiments, de routes et d'usines. Plus un loup, plus un dauphin, plus un coquelicot ni un bleuet, et pas davantage un trèfle porte-bonheur ou une araignée du soir. Serait-ce le sommet de l'évolution ? Le triomphe de l'intelligence ?

Quant à moi, si je devais choisir une architecture qui convienne à mon rêve, je choisirais celle du clathre rose et caca d'oie.

J'en humerais à jamais le parfum *sui generis*, puisque c'est l'odeur de la vie.

Le bonheur est dans le peu

Il n'est de plus grande erreur que de vouloir satisfaire ses désirs. Il n'est de plus grande misère que de ne savoir se suffire. Il n'est de pire calamité que le désir de posséder. Celui qui sait se contenter de peu est toujours satisfait.

LAOZI
Tao Te King

« Ami humain, que cherches-tu ?
— Le sens de mon bref passage.
— Tu ne le trouveras jamais !
— Juste une raison de vivre...
— Ne sois pas trop exigeant !
— Quelques miettes de bonheur...
— Regarde en toi-même ! »

On aurait pu entendre ce dialogue dans la Chine de Laozi ou le Japon d'Issa. En Grèce avec Diogène ou à Rome avec Lucrèce. Sous un baobab avec un griot ou sous le tipi d'un Sioux. Avec saint François d'Assise, en écoutant gazouiller frères les oiseaux. Près du Bouddha, sous un *Ficus religiosa* – le figuier religieux, l'arbre de l'Éveillé...

***

Regarde en toi-même : la clé est là.

Cependant (martelons la sentence), toute idée

simple est une idée fausse. Il n'existe jamais *une* solution à un problème. Les faits sont multiples et les responsabilités partagées. Les causes et les effets des choses restent difficiles à discerner.

Les êtres humains sont contradictoires. D'ordinaire, possessifs, agressifs et cruels. Parfois épris de paix, altruistes et généreux. La proportion du vice et de la vertu varie. Mais, globalement, *Homo sapiens* n'est ni bon ni méchant : il est exécrable...

Et c'est pour ça qu'on l'adore !

Et c'est sur ces pieds d'argile qu'il va falloir bâtir (ou rebâtir) le colosse humanité...

Comment faire ? Pratiquons la discrimination positive. Favorisons sans vergogne nos qualités aux dépens de nos défauts.

***

La sagesse participe à la fois de la connaissance et de la bonne conduite : ces deux qualités manquent à notre monde de brutes.

On gagne en sagesse par l'effort intérieur si l'on a pris conscience de la gravité de la situation. Ou par l'éducation si la société s'en occupe.

Combien d'entre nous ont envie d'être sages ? Je veux dire : non pas comme on fait sa B.A., à l'occasion, lorsque l'enjeu est insignifiant ou qu'il y a des témoins pour applaudir ; mais de façon spontanée, souvent (en permanence serait un rêve !), quand nos intérêts sont en cause ?

La pente vertueuse est ardue, mais c'est celle du salut. Nous ne créerons rien de positif sans sueur, ni larmes, ni volonté. Il n'y aura ni panacée, ni magie, ni coup de chance, ni miracle du bon Dieu.

Ni nouvelle source d'énergie inépuisable – pas même la fusion nucléaire. Ni « développement durable » tiré du chapeau d'un économiste approximatif. Ni « révolution scientifique » imaginée par un futurologue ignorant des lois de la démographie, de la force des habitudes et des pesanteurs sociologiques... Si nous échappons au triste destin qui nous paraît promis, ce sera *in extremis*.

Nous possédons un gros cerveau, nous nous croyons « intelligents », mais nous multiplions les bêtises. Tel est notre paradoxe existentiel. Un beau paradoxe, en vérité ; et une consolation : faute de la magnificence de la fleur ou du colibri, au moins avons-nous quelque chose d'esthétique à montrer.

***

Pour sauver l'humanité et la biosphère qui l'inclut, nous devons devenir sages. « Vaste programme ! » eût ricané le général de Gaulle, comme lorsqu'on lui suggéra de « débarrasser le pays des cons »...

Une violente pulsion d'autodestruction nous anime. Impossible de l'extirper de nos neurones.

Comment la contenir, la maîtriser, la contourner ?

En regardant en nous-mêmes... Peut-être, alors, pourrons-nous séparer le bon grain de l'ivraie et (dirait Spinoza) persévérer dans notre être. Je sais ce qu'on va dire : si certains acceptent de faire l'effort, d'autres tenteront d'en profiter. Il nous faudra édicter des lois morales et civiques pour interdire aux malins d'améliorer à bon compte leur territoire et leur position hiérarchique. C'est le rôle de l'autorité en démocratie : protéger les faibles ou les bons contre les puissants et les méchants. (Je ne fais aucun amalgame : il existe des faibles méchants et des puissants bons. Mais ces derniers sont aussi rares que les gorilles et les okapis dans la forêt du Congo.)

Notre tempérament nous porte à l'excès. Nous aimons les folies. En y cédant, nous avons l'illusion d'exister avec intensité. L'abus et la goinfrerie sont nos péchés capitaux. De l'Antiquité à nos jours et de l'équateur aux pôles, en attendant Mars et Vénus, nous avons toujours refusé d'écouter les sages. Nous les avons plutôt moqués, injuriés, jetés en prison, exilés, torturés, pendus ou décapités. Empoisonnés à la ciguë comme Socrate. Crucifiés comme Jésus. Rôtis au bûcher comme Jan Hus *(« Sancta simplicitas ! »)* et Giordano Bruno.

Que cela plaise ou non, qu'on l'assume ou qu'on l'ignore, nous portons dans notre âme de larges pans de sadisme. Nous sommes fascinés par le pouvoir et par l'avoir. Mais aussi par le divertissement, au sens pascalien du terme…

Nous préférons ignorer les malheurs d'autrui et ne rien imaginer des périls qui planent sur nos têtes. Nous nous réfugions dans le fantasme. Nous sommes (c'est une tendance lourde) drogués par le jeu, cette négation du réel. Nous jouons nous-mêmes ou nous regardons jouer du matin au soir et du soir au matin. Le football, la Star Idioty, le tiercé, le Loto, les jeux de rôles et les jeux vidéo, les cours de la bourse, les joutes politiciennes et les feuilletons télévisés : nous pensons à autre chose. Ou à rien…

Nous refusons la conscience et la responsabilité. Nous avalons notre dose quotidienne d'oubli. Nous sommes les Lotophages de *l'Odyssée* d'Ulysse. Tout nous paraît plus agréable que la réponse à cette question cruciale : suis-je en train de me construire une bonne vie ?

Ah ! *Les Feux de l'amour* et le coup de boule de Zidane en finale de la coupe : la quintessence du divertissement chez les primates !

***

Quelle couleur aura notre avenir ? Le gris du tombeau ou la chlorophylle de l'espérance ?

Le nœud de la question gît dans le mot « sagesse ». Mais à une condition essentielle : que ce vocable soit associé à celui de « bonheur ». Que les deux termes se combinent. Qu'ils forment une symbiose, à l'exemple du poisson-clown et de l'anémone de mer sur le récif de corail, ou de l'algue et du champignon dans le lichen.

Nous ne trouverons de bonnes solutions que lorsque, sur les plans individuel et collectif, nous nous serons convaincus que la sagesse rend plus heureux que la folie. Si nous devenons meilleurs, ce ne sera pas par désir éthéré de morale ou de sainteté, mais par pur intérêt. Par égoïsme bien compris. Pour mieux jouir de notre passage. En commençant par ne pas menacer les Terriens (au sens large) de trop de guerres (au singulier s'il s'agit de la nucléaire), de pollutions, de pillages, de saccages, de maladies nouvelles ou de bouleversements climatiques…

Tentons de nous persuader qu'une conduite raisonnable nous offrira la clé d'un bonheur plus intense et plus stable : et nous pourrons commencer de combler le fossé qui sépare notre vilenie de notre idéal.

Ce n'est pas gagné. Raison de plus pour essayer : les combats désespérés sont les combats les plus beaux.

***

La sagesse rend-elle plus heureux que la folie ?

J'en suis convaincu, mais tout dépend des motifs, des circonstances et des dégâts collatéraux. Comme mes congénères, je pratique l'une et l'autre. En alternance ou à la fois... Je suis sage et fol dans des proportions dont je laisse ma famille, mes amis et mes lecteurs juges. Je suis capable (je l'ai prouvé) de me conduire comme le dernier des crétins ; de me saouler si j'ai le cafard ; de me goinfrer de sucreries et d'y trouver consolation ; de m'écrouler devant un match à la télé ; de grimper dans un avion et de brûler des barils de pétrole pour aller donner, à deux mille kilomètres, une conférence sur le gaspillage de l'énergie...

Question contradictions, enfantillages ou stupidités, je ne crains personne.Au regard de l'écologie, c'est-à-dire de notre destin commun, nous sommes tous docteur Jeckyll et mister Hyde. Nous faisons n'importe quoi et son contraire, c'est-à-dire n'importe quoi au carré. Nous réclamons le transport, le chauffage et la climatisation, mais moins de gaz à effet de serre ; des marchandises suremballées, mais ni ordures, ni incinérateur dans mon jardin ; des aliments de qualité, mais à prix bradé ; un emploi bien payé près de chez moi, mais des magasins garnis de produits bon marché ; et je ne veux pas savoir s'ils ont été fabriqués par des enfants...

Le râleur aigri d'extrême droite réclame toujours davantage à l'impôt et moins au contribuable.

Nous lui ressemblons : nous voulons piller et polluer la Terre, mais qu'elle reste belle et généreuse.

Or ça, mon p'tit gars, ça va pas être possible…

Les *Homo sapiens* ne se changeront pas en anges. Je n'ai aucun espoir que cela se produise avant les calendes grecques ou la Saint-Glinglin. Je voudrais simplement que nous tentions de nous mieux conduire pour épargner nos enfants. Au nom de notre intérêt à moyen et à long terme ; de nos vrais plaisirs ; et de la continuation de la bizarre et sublime aventure de l'homme dans l'univers.

Une chose est sûre : la folie n'est désirée par personne, tandis que chacun quête la sagesse. Celle-ci procure plus de satisfaction que celle-là. Elle ne dépend pas d'objets matériels vite obtenus, vite perdus. Elle titille de façon plus intense et plus durable, avec un moindre gaspillage de dopamine et d'endorphines, nos centres du plaisir et de la récompense, dont on a démontré (Démocrite et Épicure eussent aimé cette biologie des passions…) qu'ils occupent, sous notre crâne, notre amygdale et le noyau *accumbens* de notre hypothalamus. Sachant qu'une abondante sécrétion de sérotonine nous tient lieu d'antidépresseur. Et que nos messages de bien-être et de douleur se côtoient (éternel sadomasochisme !) dans des neurones spécialisés. Ces informations sont ensuite triées dans nos aires préoptiques, le noyau médian de notre thalamus et les cellules grises de notre aqueduc, avant d'être envoyées vers notre cortex, jusqu'à notre aire cingulaire antérieure où se forme la représentation de ce que nous appelons le « bonheur » ou le « malheur ».

Qui n'a jamais connu l'exultation de son aire cingulaire antérieure n'est pas encore sorti des limbes.

Pour paraphraser Saint-Just : « Le bonheur est une idée neuve sur la planète. » Biologiquement parlant. Reste à accomplir la marche tranquille qui nous permettra d'y accéder sans passer par la case « terreur ».

***

La folie exagère, puisque c'est sa nature.

La sagesse se consomme avec modération.

On n'a jamais rencontré de sage qui bâfre au point de s'en rendre malade. On n'a jamais vu d'ermite en état de pléthore. (Je sais : il existe des représentations grassouillettes du Bouddha ; mais léger, aérien, souriant !) Le mieux s'accorde avec le peu : nous le ressentons d'instinct. L'expérience nous le confirme après chaque abus, sous forme de nausée, colique, mal de tête, syndrome de manque, descente aux angoisses ou *delirium tremens*.

Nous préconisons (vieux fonds moral et religieux) la tempérance et la sobriété ; mais nous nous comportons au rebours de ces recommandations. Sitôt que nous en avons l'opportunité, nous consommons.

Sans modération.

Je suis comme tout le monde : je fais n'importe quoi et j'y trouve du plaisir. Je mange trop, je bois trop, je ne fume plus depuis longtemps mais je travaille à l'excès, je me disperse, je voyage rien que pour changer de place, je me laisse porter par le délire de faire, défaire et refaire. Pour qui ? Pour quoi ? Au lieu de rentrer en moi-même et de philosopher, j'achète les bavardages d'un psychologue ou je me calme avec un accessoire chimique : vais-je avaler un antidépresseur ? Tout cela me consterne. Je perds le sens de mes actes. Je me rends insupportable à moi-même et aux autres. J'invente mille excuses pour justifier mes écarts. Je me trouve toujours trente-six excellentes raisons d'être idiot : l'urgence, l'ennui, l'habitude, la jalousie, l'esbroufe, la compétition – voire l'amour, l'amitié ou le besoin de créer.

Le sauvetage de l'humanité, comme son émergence sur la scène du monde, ne pourra jamais prétendre à un plus noble statut que celui du bricolage. Après tout, c'est celui de l'évolution de toutes les espèces : un « génial bricolage », selon le mot du biochimiste François Jacob... Nous sommes non seulement le produit du hasard et de la nécessité, mais de la vicissitude et de l'à-peu-près.

De l'esprit de conquête et de l'avidité !

Dans les pays riches, la voracité de notre genre prend des apparences grotesques. Avez-vous vu ces hordes qui se ruent dans les magasins en période de soldes, ces foules braillantes qui se disputent le droit de payer bien trop cher (fallacieux rabais !) des objets souvent aussi moches qu'inutiles ? Avez-vous songé à ces monceaux d'appareils ménagers, à ces montagnes de gadgets ? Avez-vous imaginé ces wagons de victuailles, ces citernes d'alcool qui passent par le tube digestif des animaux à deux pieds sans plumes que nous sommes, et qui finissent en vomi dans les W-C ?

Nous gobons, aux deux sens du verbe : nous sommes crédules et nous dévorons. Nous croyons ce qu'on nous raconte. Nous avalons comme des grandgousiers. Ces poissons des abysses engloutissent des proies aussi grosses qu'eux ; mais rarement. Tandis que nous nous empiffrons à longueur de temps... Nous abusons non seulement de drogues plus ou moins licites (tabac, alcool, cannabis, héroïne, cocaïne, amphétamines, tranquillisants et autres « sœurs » cruelles) ; mais de substances aussi addictives que les énergies fossiles ou nucléaires ; les nourritures trop grasses, trop salées, trop sucrées ; et les cent mille produits de l'industrie qui nous crétinisent, nous pincent, nous coupent, nous écrabouillent, nous provoquent des allergies ou nous donnent le cancer.

Nous nous rendons esclaves avec nos véhicules, nos équipements de bureau, nos jeux vidéo, nos voyages pour ne rien voir (les temples d'Égypte en un week-end ; la Thaïlande en cinq jours ; une semaine pour changer votre vie dans un ashram en Inde…). Ces achats, sans autre nécessité que l'achat lui-même et sa vaniteuse représentation, nous inoculent le virus de la vulgarité. Ils nous font perdre le sens de l'essentiel, des plaisirs authentiques, de l'échelle des valeurs.

Nos paradis d'artifice nous enferment et nous aliènent. Ils tordent notre jugement. Ils débilitent notre volonté et liquéfient notre morale. Ils nous réduisent en absolue dépendance. Avec eux, nous nous injectons dans le cerveau des simulacres de bonheur ou des ersatz d'extase. Comment raisonner sur l'important, si notre ambition se borne à posséder une maison, une voiture et cent chaînes de télévision, lesquelles diffusent en boucle le même feuilleton *made in USA*, dans lequel l'idéal du héros consiste à avoir dix maisons, cent bagnoles et mille chaînes de télévision ?

L'obsession de la consommation nous ôte jusqu'à la capacité de nous interroger sur le sens de notre bref passage.

Nous nous accrochons une carotte devant le nez

et nous faisons l'âne. Nous sommes assez doués pour braire.

Comment nous libérer de cette charge? Comment nous délivrer de ce bât? La révolte est difficile, l'attrait du divertissement l'emporte, le picotin est alléchant: tout bourricot vous le dira.

N'importe quel toxicomane vous confirmera que le sevrage est possible, mais que la difficulté de l'épreuve augmente en raison directe du degré de dépendance.

Consommer constitue une réaction normale, au moins au début. Nous sommes des animaux. Nous avons des besoins. Aussi longtemps que ceux-ci ne sont pas satisfaits, nos cellules, nos tissus, nos organes font des réserves. Nous accumulons de l'énergie pour survivre à une éventuelle disette. Telle fut l'assurance-vie de nos ancêtres australopithèques ou de Cro-Magnon. Nous avons été programmés pour emmagasiner des graisses – au niveau des hanches et des fesses chez la femme, du ventre chez l'homme. Toutes les espèces botaniques et zoologiques possèdent des dispositifs homologues de prévention des mauvais jours. Aucune n'en abuse, sauf les rats de laboratoire stressés par la promiscuité; les tigres ou les loups dans les zoos; les chienchiens à leur maîmaître; les oies qu'on gave; et nous, et nous, et nous, otages de la civilisation de la boursouflure et du vide.

La femme des cavernes voyait fondre son délicieux derrière à la Rubens lorsqu'elle devait porter puis allaiter un bébé en période d'aurochs maigres. Son mâle à la hache de pierre effaçait son embonpoint en traquant un gibier devenu rare. De nos jours, du moins si nous habitons un pays riche, nous n'avons d'autre dépense physique à fournir qu'à rouler en voiture jusqu'à la prochaine enseigne de malbouffe ; à avaler notre hamburger-frites-glace (non seulement le gras, le salé et le sucré, mais le mou et le sans goût) ; à déplorer notre martyre de l'obèse en rotant nos bulles de cola ; avant de nous affaler devant la télé-réalité en grignotant des amuse-gueule à haute teneur en acides gras saturés et « trans », c'est-à-dire en mauvais cholestérol.

Ecce Homo gaster : voici l'homme estomac !

Parce que nous sommes des êtres de conscience et de projet, donc d'inquiétude ou de méfiance, nous nous créons l'obsession de la sécurité physique, alimentaire et sexuelle, que nous procurent un territoire et un rang élevé dans la hiérarchie. Nous sommes à la fois nuisibles et risibles. Nous incarnons les Shylock, les Harpagon, les père Grandet des mammifères. Les pères fouettards ou les adjudants de l'évolution... Nous avons la rage de piétiner nos semblables. Nous sommes habités par le délire de l'avare et de l'avaricieux. La peste soit d'eux ! disait Molière.

Pourrons-nous, un jour, contenir ou apprivoiser les pulsions bestiales que légitime et attise notre magnificente et consternante intelligence ?

Réussirons-nous à infléchir le cours catastrophique de l'Histoire ? Ainsi se pose la question. J'ai peur que, ne l'ayant pas appréhendée de façon claire, nous ne la résolvions mal.

Essayons quand même... Chacun dans notre coin, en mobilisant notre minuscule capacité d'action ; et tous ensemble, puisque la pullulation d'*Homo sapiens* pourrait devenir sa force. Individuellement, nous nous sentons chétifs et impuissants. Collectivement, nous pouvons méditer cette phrase de Confucius :

« Un flocon de neige ne pèse rien, mais lorsque des milliers de flocons se posent, la branche plie et se brise. »

****

La sortie de secours que j'imagine est d'abord une philosophie.

Une humble façon d'être au monde, qui implique une morale du respect…

Nous devons nous demander pourquoi nous sommes quelque chose plutôt que rien. De l'être et non pas du néant. Pourquoi nous avons le statut d'animaux libres, parlants et conscients, plutôt que de siphonophores, d'onychophores ou de doryphores.

Nous devons nous interroger sur la finalité de notre présence ici-bas – même si cette question n'admet aucune réponse définitive ou objective.

Peu importe que nous soyons croyant, agnostique ou athée. Dans aucun de ces trois cas de figure, notre idéal ne saurait se résumer à tout détruire et à tout massacrer sur le globe, sous prétexte de nous empiffrer comme des pourceaux d'Épicure en croyant nous apporter du plaisir et en nous faisant du mal ; tout en privant du minimum vital une grande partie de l'humanité ; et en éliminant les autres espèces, nos sœurs, qu'il nous arrive plus souvent de massacrer, de torturer, d'empoisonner ou de dévorer en cuisseau ou en cuissot que d'aimer d'amour tendre.

La société de consommation constitue non pas notre avenir ou notre fierté, mais notre plus gros problème. C'est une longue et cruelle maladie. Elle envoie des métastases comme une tumeur. Elle parasite jusqu'à notre âme. Elle se vante d'être un modèle d'opulence et de bien-être. Elle essaie de nous faire croire qu'elle nous offre le bonheur avec l'objet matériel. Elle nous rebat les oreilles avec les notions de croissance et de progrès. Elle glorifie la réussite et l'enrichissement personnel (« Devenez milliardaire en dix leçons ! »), mais ne nous en propose qu'une décevante copie prolétarienne : le maintien du pouvoir d'achat (« Aug-men-tez nos sa-lai-res ! »). Tel le bonimenteur de téléachat qui fait craquer la ménagère de moins de cinquante ans, elle embobine le peuple.

Non sans logique, la société de consommation prétend à l'universalité, qu'elle baptise « libre échange », « loi du marché » ou « mondialisation ». Mais elle opère à l'inverse de ses rodomontades : elle ne suscite que l'insatisfaction, la jalousie et la haine. La maîtrise des matières premières et la conquête des débouchés commerciaux implique la violence et la corruption. La concurrence porte le conflit. Le désir matériel finit en drame. La tragédie classique agitait les passions, la tragédie moderne brasse le pognon. L'une se déclamait en vers, l'autre parle d'argent. La première était composée par Eschyle, Shakespeare ou Racine, la seconde est un bilan d'entreprise copié-collé sur un ordinateur.

On mesure les progrès accomplis par notre espèce en quelques centaines d'années !

Selon leur croyance totémique (que rapporte Claude Lévi-Strauss dans *Tristes Tropiques*), les

Bororos étaient des araras. Les survivants de ces Indiens d'Amérique du Sud ont cessé de se prendre pour des perroquets au plumage d'arc-en-ciel : intégrés à notre « civilisation », ils sont devenus des exilés de la forêt, des clochards déculturés qui cuvent leur alcool et leur désespoir dans des bidonvilles. Le même sort attend la plupart des peuples « primitifs » (on disait autrefois « sauvages ») – des Inuit aux Jivaros et des Papous aux Himbas. Ne nous faisons pas d'illusions : un destin homologue nous est promis. Les Jivaros réduisaient les têtes de leurs ennemis, mais c'est nos têtes que « les marchés » ratatinent.

Réagissons avant d'avoir perdu trop de neurones...

Quel plaisir pouvons-nous ressentir à posséder deux voitures au lieu d'une, quatre réfrigérateurs au lieu de deux ou huit téléviseurs au lieu de quatre ? Quelle satisfaction, s'il s'agit de ne jamais nous en servir parce que nous travaillons nuit et jour pour rembourser nos emprunts à la banque ?

Nous aimons accumuler parce que nous sommes frappés par le délire du territoire et le syndrome de la domination. Cependant, si nous y prenons garde, nous observons qu'une fois le minimum assuré, la propriété n'est génératrice que de désagrément, de crainte et de tremblement ; tandis que la non-possession est mère de légèreté, d'insouciance et de liberté...

Proudhon disait : « La propriété, c'est le vol ! »

Je change la formule : la propriété, c'est la peur.

La propriété, c'est la guerre.

***

La société commerçante nous propose d'être plus heureux en consommant, mais cela nous rend avides et envieux. Amers. Frustrés. Acrimonieux. Agressifs et malheureux de l'être...

Les produits manufacturés que la publicité et le marketing (ces modernes divinités du mensonge) proposent aux foules fascinées, désormais jusque chez les Yanomami et les Pygmées, se dérobent sans cesse à notre jouissance. À peine commandés, déjà dépassés. À peine acquis, déjà obsolètes. Méprisables avant d'avoir servi. Jetables avant d'être déballés... Toujours plus coûteux (la baisse des prix n'est qu'un bref conflit pour le monopole ; puis l'addition se corse) et plus « perfectionnés » (le gogo dit : « sophistiqués » ; c'est un adjectif qu'on utilise quand on n'a pas la moindre idée de la façon dont cela fonctionne). Et toujours plus inutiles : à quoi riment la moitié des fonctions de mon ordinateur, de ma chaîne hi-fi ou de mon appareil de photo numérique, sinon à m'en mettre plein la vue pour emporter ma décision d'achat ?

Lorsque nous nous attachons à ces fantasmes matériels toujours plus avides en matières premières et en énergie, et que nous voulons nous les offrir, nous entrons dans une spirale de désir inassouvi qui n'a plus ni but, ni sens.

Cherchons autre chose.

Moins, mais mieux ! *Small is beautiful !*

Ces slogans ont trente ans : ils restent pertinents. Ne pas posséder beaucoup, mais apprendre à en tirer les subtiles récompenses : telle est la condition de notre survie individuelle et collective.

La simplicité et la frugalité nous procurent des satisfactions autrement plus intenses et durables que leurs contraires. On s'y adonne sans culpabilité ni angoisse. On en reçoit un salaire en sensations. On y goûte le bonheur de maîtriser ses pulsions et le contentement de les partager avec d'autres. On y puise la délectation de l'offrande et le ravissement de la générosité.

On y gagne en convivialité. On y savoure les joies de la vie en société.

De l'amitié. De l'amour.

***

Qu'est-ce que le bonheur ?

Un plaisir modulé par la sagesse.

Est-ce que je m'en approche en voulant posséder ? Suis-je satisfait si j'achète (excellente affaire pour mon porte-monnaie) un objet fabriqué par un enfant du Tiers Monde ? N'ai-je pas davantage de délectation à donner un peu d'argent pour faire éclore un sourire sur le visage du petit esclave ?

Les scientifiques ont décrit le plaisir cérébral dans sa dimension biochimique et neurologique : endorphines, dopamine, sérotonine et compagnie. Mais ils ont souligné que les circuits de la récompense jouxtent ceux de la douleur. La satisfaction n'est jamais assurée. Elle peut basculer à chaque instant dans son contraire (et inversement) : il suffit d'une erreur d'aiguillage sur les rails des dendrites pour que les neurotransmetteurs touchent la cible voisine. Le bon devient mauvais, le bien se transmute en mal. On le constate en observant les humains hébétés par la consommation : ils croyaient jouir, et les voilà qui souffrent. Ils pensaient aborder au pays de Cocagne, et ils se réveillent au bagne. Ils s'imaginaient fouler la route parfumée du paradis, et ils dévalent l'escalier branlant qui conduit en enfer.

Le vrai bonheur ne naît pas du comblement de nos envies, lesquelles sont innombrables, protubérantes, désordonnées, multiformes, hérissées de pseudopodes et aussi promptes à exploser dans tous les coins que des pétards de fête. Il gît dans l'absence de nouveaux besoins. Dans l'arrêt des harcèlements parasites. Dans le réfrènement de nos tentations. Dans la cessation de cette course folle où la vanité nous éperonne, et où le juge à l'arrivée n'a d'autre physionomie que celle de la mort.

Le vrai bonheur paraît plus proche de l'idéal d'ataraxie des Anciens. L'ataraxie (du grec *ataraxia*) désigne, littéralement, l'absence de trouble. Démocrite la peint comme la tranquillité de l'âme. Elle procède de la modération de nos désirs et de l'harmonie de nos actes. Le principe d'hédonisme (l'*hêdonê*), que quêtent à la fois les stoïciens, les épicuriens et les sceptiques, permet d'atteindre un état de sérénité. La quiétude s'installe lorsqu'on se départit de l'obsession du paraître et de l'avoir.

Le vrai plaisir ressemble également au nirvana des bouddhistes. Ce terme sanskrit signifie « extinction » ou « libération ». Il désigne une félicité, une paix intérieure complète et permanente, qui procède d'un absolu détachement. C'est un état (ou plutôt un non-état) de stabilité et de perfection intrinsèque, dans lequel l'ego du sujet n'a plus d'importance et prend congé pour se fondre au grand Tout.

D'un certain point de vue, le nirvana est un éveil. La maîtrise des passions révèle la nature authentique de l'homme. Elle devient délivrance.

Ou illumination. La suprême vacuité procure la paix perpétuelle.

***

Qu'est-ce que le malheur ?

L'insatisfaction, la privation, l'attente, le désespoir, la souffrance du drogué. Le supplice de Tantale, ce roi de Phrygie (ou de Lydie) condamné, selon la mythologie grecque, à la soif et à la faim éternelles pour avoir offert aux dieux un banquet composé de la chair de son fils Pélops...

Le marketing et la publicité nous soumettent à l'infini de nouveaux produits, des versions plus « modernes » et plus « performantes » de la pacotille qu'ils désirent nous fourguer, et pour laquelle ils exigent que nous consacrions notre énergie. Pour être heureux, clament-ils, travaillez ! Travaillez ! Travaillez ! Et encore, et encore... Faites des heures supplémentaires. Arrivez tôt et restez tard à l'usine ou au bureau. Investissez-vous corps et âme dans votre entreprise, épousez-la, ne pensez plus que par elle et pour elle ! Oubliez vos loisirs, ne jouissez plus ni des livres, ni de la musique, ni des beaux-arts, ni du parfum des fleurs, ni de la caresse du vent. Ne fréquentez plus ni vos parents, ni vos amis. Négligez vos enfants, abandonnez celle ou celui que vous aimez ! De toute façon, il ou elle doit aussi travailler...

Lorsque vous aurez réussi à vous payer la ruineuse panoplie des objets fantastiques de votre siècle, vous aborderez enfin au paradis.

Au paradis ? Mort et enterré, pour sûr...

Je pourrais citer dix mille exemples de ces propositions malhonnêtes. Le téléphone portable, par exemple, constitue un douteux progrès par lui-même. Admettons qu'il est utile, ne serait-ce que parce qu'il nous permet de dire des mots d'amour ou des injures dont profitent le restaurant ou le wagon tout entiers. Mais voici qu'on nous vend un mobile qui prend des photos, joue de la musique, se branche sur Internet, permet de regarder des vidéos ou la télévision, mais ne comporte même plus la fonction « téléphone »... Le livret qui donne le mode d'emploi de l'engin excède, en nombre de mots, les *Essais* de Montaigne. Le citoyen ordinaire cesse d'y comprendre quoi que ce soit dès la première phrase : « Défesez l'amballaje avec pricaution. »

Nous sommes hypnotisés par ces produits comme Charlot devant la vitrine de Noël. Nous badons et nous bavons. Nous cédons à la tentation. Nous courons au boulot. Nous rechargeons notre carte bleue (cette transposition du tonneau des danaïdes). Nous achetons dès que nous pouvons, et même avant, puisqu'on nous propose de toutes parts des crédits. Quand nous imaginons tenir enfin le merveilleux objet de notre quête, nous constatons qu'autre chose nous est déjà proposé. Une version plus « performante » et plus « moderne », qu'il nous faut acquérir d'urgence et à tout prix si nous voulons avoir une chance d'être enfin heureux.

Et ainsi de suite, jusqu'à notre dernier soupir, lui aussi inassouvi.

En attendant le labeur bénévole des asticots et des bactéries qui nous recycleront dans le grand Tout, là où le téléphone cellulaire ne capte plus, mais où nos molécules ont rendez-vous avec les étoiles.

***

Je ne saurais mieux décrire le processus du faux progrès, auquel nous sommes confrontés, que ne l'ont fait certains philosophes, poètes ou penseurs auxquels je dois mes meilleurs émois.

Je me plais à citer Jean-Jacques Rousseau, par exemple cette phrase du *Discours sur l'origine de l'inégalité* : « Pour le poète, c'est l'or et l'argent, mais pour le philosophe ce sont le fer et le blé qui ont civilisé les hommes et perdu le genre humain. »

Ou Edgar Allan Poe, dans le *Colloque entre Monos et Una* : « L'homme, qui ne pouvait pas ne pas reconnaître la majesté de la Nature, chanta niaisement victoire à l'occasion de ses conquêtes toujours croissantes sur les éléments de cette même Nature. [...] D'innombrables cités furent édifiées, énormes et fumeuses. Les feuilles vertes se recroquevillèrent sous la chaude haleine des fourneaux. Le beau visage de la Nature se trouva déformé comme par les ravages d'une dégoûtante maladie. [...] Prématurément amenée par des orgies de science, la décrépitude du monde approchait. C'est ce que ne voyait pas la masse de l'humanité ; ou ce que, vivant goulûment mais sans bonheur, elle affectait de ne pas voir. »

Henry David Thoreau a lui aussi son idée sur le « progrès » *(Walden, ou la Vie dans les bois)* : « Il ne s'agit pas forcément d'un progrès positif. Le diable extorque jusqu'au bout l'intérêt composé de son investissement originel, ainsi que les nombreux placements qu'il effectue ensuite. Nos inventions sont d'ordinaire d'amusants jouets qui nous empêchent de nous attacher aux problèmes sérieux. [...]

Nous voulons construire de toute urgence un télégraphe magnétique entre le Maine et le Texas : mais peut-être que le Maine et le Texas n'ont rien d'important à se dire. »

John Stuart Mill, plus positif, s'emploie dès 1857 à formuler la vraie question : « À quelle finalité notre société tend-elle par son progrès industriel ? Lorsque le progrès s'arrêtera, dans quel état peut-on s'attendre à ce qu'il laisse l'humanité ? »

Rejoindre les esprits visionnaires réchauffe le cœur du philosophe.

Même si personne n'écoute jamais les sages…

Le Latin Lucrèce écrivait, dans son *De Natura rerum* : « Si l'on se conduisait par les conseils de la sagesse, l'homme trouverait la suprême richesse à vivre content de peu : car de ce peu, jamais il n'y a disette. »

Je fais mienne cette phrase. Je voudrais que l'humanité s'y reconnaisse et s'en repaisse. Car de peu, nous ne manquerons jamais. De peu, nous ne souffrirons pas d'être privés. De peu, nous pourrons sans problème accumuler des réserves.

Le développement durable de notre économie de consommation est impossible. Nous ne pourrons indéfiniment accroître nos prélèvements en énergie, en minerais, en produits de la terre et de la mer, dans un système planétaire fini. C'est une utopie physique et écologique. La plus dangereuse de toutes, puisqu'elle suppose le miracle de la multiplication des ressources, comme il y eut celui de la multiplication des pains…

Utopie pour utopie, mieux vaut en bâtir une

viable. Plus plaisante, plus excitante et paradoxalement plus grandiose : celle de la philosophie du peu. Restons (ou redevenons) modestes. Faisons profil bas. N'en demandons pas trop. Réapprenons à profiter du jour qui passe : *Carpe diem !* Sachons jouir de ce que nous avons, plutôt que de pleurer sur ce que nous n'avons pas encore ou que nous n'aurons jamais.

Si nous voulons organiser un « développement durable » qui ne soit pas un rêve creux ou une pure promesse électorale, ce ne peut être que par la diminution de notre prétendue « croissance » et par l'augmentation symétrique de notre demande de biens immatériels : l'amour et l'amitié, le plaisir d'être ensemble, le délice des sens, la musique, les beaux-arts, la littérature, le cinéma, la poésie, la philosophie, pourquoi pas (à doses homéopathiques !) le match de football ou la soirée karaoké...

Le bonheur est dans le peu.

De toute évidence, cette affirmation choque l'*Homo consumatoris*. Mais elle convient au philosophe. Elle sied à l'écologiste. Et elle enchante le poète.

Avec la multiplication des saccages et des pollutions, nous assistons à un véritable renversement des valeurs. Ce qui, hier, était rare et cher (les biens matériels manufacturés : voitures, appareils ménagers, caméras, ordinateurs, etc.) devient commun et se déprécie. Ce qui, de tout temps, était abondant et appartenait au premier venu comme au prince (l'air et l'eau purs, le spectacle coloré, sonore et parfumé de la nature en fête...) devient rare et recherché ; digne de désir ; objet d'efforts.

Nous connaîtrons le temps où la fleur sauvage,

la baleine et le perroquet seront si menacés que nous leur attribuerons une valeur bien supérieure à celle de l'or, du pétrole et des diamants, pour lesquels nous abattons aujourd'hui les forêts, nous polluons les océans et nous éventrons la terre.

Ils étaient lucides, les esprits visionnaires qui, au long des siècles, ont dénoncé le danger de l'accroissement perpétuel de nos besoins... Ils avaient compris, avant même l'avènement de la société industrielle, que le bonheur ne gît pas dans la quantité, mais dans la qualité. Vivre de peu, rester humble, trouver soi-même sa voie, a constitué l'idéal de la plupart des saints et des sages. On a ironisé sur ces va-nu-pieds superbes, ces jeûneurs volontaires, ces crève-la-faim sans concession, ces SDF prêcheurs d'harmonie au désert. On a eu tort. On aurait mieux fait d'écouter leurs leçons. On aurait gagné à tourner sept fois son amertume ou son insatisfaction dans sa tête, avant de les moquer.

Diogène le Cynique incarne, à ce titre, un phare de l'humanité. « Phare » ? Il n'eût pas aimé qu'on lui appliquât ce vocable emphatique. Il eût préféré qu'on le traitât de négligeable étincelle. C'était un Grec. Il vivait au IVe siècle avant Jésus-Christ. Il n'avait pas de maison : il habitait dans un tonneau. Il allait nu pour ne pas s'encombrer du luxe des vêtements. Il se masturbait en public ; si quelqu'un s'en offusquait, il répondait que le monde serait facile à vivre s'il suffisait de se frotter le ventre pour obtenir satisfaction. Il se nourrissait de restes dont on lui faisait l'aumône. Il n'avait conservé, comme ustensile de cuisine, qu'un gobelet. Un jour qu'il vit un chien laper dans une flaque, il jeta cet ultime objet de « luxe » et se mit à boire dans ses mains.

Refus farouche de tout engrenage du désir et de

la frustration… L'exemple de Diogène est caricatural, bien sûr. Personne n'aurait le courage de tenter d'égaler ses excès. Mais faudrait-il ne pas évoquer le personnage sous prétexte qu'il contredit avec violence notre idée formatée du bonheur ?

J'observe que Diogène trouvait non seulement du plaisir, mais une efficace protection, voire une réelle puissance, dans son exaltation du dénuement. Un jour, l'empereur Alexandre le Grand vint le visiter à Athènes et lui demanda ce qu'il pouvait faire pour améliorer son sort. Il s'entendit répliquer : « Ôte-toi de mon soleil ! » Le souverain s'écarta : nul autre que le SDF Diogène n'aurait pu se permettre pareille insolence sans avoir sur-le-champ la tête tranchée…

Tout le monde n'est pas Diogène ; ou Socrate ; ou Bouddha ; ou Laozi ; ou Jésus. Mais nous pouvons essayer, sinon de les égaler, du moins de grimper sur leur petit orteil.

Nous n'avons nul besoin d'une humanité composée de sages et de saints : outre que ce n'est pas demain la veille, il en exsuderait un ennui sans limites. Mais nous pouvons corriger certaines de nos folies en avalant quelques fragments de sagesse. Quelques grains d'hellébore, pour citer La Fontaine.

La philosophie du peu me convient, même quand je gaspille honteusement. Elle me rappelle mon modeste devoir d'*Homo sapiens*.

Je me souviens de ce texte du romantique allemand Hölderlin (dans *Hypérion*) :

« Tu demandes où sont les hommes, Nature ? Tu pleures comme un instrument dont ne joue plus que le vent, frère du hasard, parce que le musicien qui savait en jouer est mort ? Ceux que tu attends reviendront, Nature ! Un peuple rajeuni te rajeunira, tu seras sa fiancée et l'antique alliance des esprits sera renouée avec toi.

« Il n'y aura qu'une seule beauté : l'homme et la Nature s'uniront dans l'unique divinité où toutes choses sont contenues. »

***

Début juillet…

Le roi soleil est assis sur son trône bleu ciel. Balade au pays rouge. Je descends, je m'immerge dans un champ de coquelicots. Jusqu'aux cuisses. Jusqu'au ventre. Jusqu'au cou. Jusqu'au nez, alouette !... Je m'y vautre. Je me saoule de vermillon, de corail, de cerise, de carmin, de pourpre, de cramoisi. Je veux dire : de photon sur des longueurs d'onde voisines de sept cents nanomètres.

J'examine un bouton floral : le calice poilu, aux lèvres gris-vert, s'entrouvre sur une langue rouge coquine. Je détaille une corolle à peine épanouie, encore un peu fripée. J'introduis un doigt rigoleur au creux de la jupette. Je frôle le buisson noir des étamines. Je caresse le voluptueux pistil en forme de vaisseau spatial, au creux secret duquel se prépare la poussière des graines. Je m'émerveille de cette mécanique végétale. Le fruit mûr dispersera ses semences par une série d'orifices qui ont l'apparence des diamants d'un diadème. La brise balancera cet ostensoir…

Il me semble que je partage le frisson de la fleur. Je me distrais de rien. Mes plaisirs sont à la fois infimes et sublimes. Je me complais parmi les fleurs, les insectes et les sources. Je jouis du vent qui soupire et de l'alouette qui grisolle. L'éclat rouge du coquelicot entretient une correspondance quasi baudelairienne avec mon âme. Je renifle, avec de petits grognements gracieux qui m'apparentent au marcassin, l'odeur amère qui s'exhale d'une larme de suc laiteux, à la cassure d'une tige. L'opium n'est pas loin (nulle morphine, cependant, mais de l'innocente rhoédine). À mes yeux comme à mes narines, cette fleur rouge est un paradis – un petit nirvana couleur de sang.

Je m'immerge, je me fonds dans la galaxie vermillon. Je pense à la conversation que j'ai eue, l'autre jour, avec un ami. Je lui racontais, du ton dégoûté et vindicatif que je sais prendre, les saccages et les pollutions des hommes ; la pelle mécanique, le filet géant, la machine agricole, le béton, le bitume, l'usine, la bagnole, bref le syndicat nauséabond ou pétaradant des nuisances qui assassinent la Terre.

Mon ami a tenu le rôle de l'avocat du diable, c'est-à-dire de l'avocat des hommes.

« Tu es parfait dans ton genre, me dit-il : mais des goûts et des couleurs, nul ne peut discuter. Tu voues aux gémonies l'automobile. Tu lui préfères la fleur sauvage et l'abeille, le dauphin et l'éléphant... Libre à toi. Quant à moi, les prétendues « beautés » de la nature m'ennuient et même me contrarient. Je hais les ronces, les orties, les mouches et les moustiques. Je voudrais voir disparaître les méduses, les vipères et les hyènes. Ce que j'aime par-dessus tout, pour m'en tenir au rouge, c'est la Ferrari Testarossa. La plus belle des voitures ! La plus harmonieuse et la plus désirable... Comme quelques millions de mes congénères, je confesse que ma vraie jouissance, mon plus parfait bonheur terrestre, l'un des sommets de mon existence, consisterait à piloter ce bolide à trois cents kilomètres à l'heure ! »

Mon ami m'a mouché. Je suis resté coi. Je ne supporte pas d'imposer mes plaisirs, même si je les promeus à longueur de textes. J'ai l'âme sauvage, mais la fibre démocratique. Comment irais-je refuser le ravissement de conduire à un fou du volant, alors que je prône une morale hédoniste, égalitaire et libertaire ?

Je manque de repartie. Mon esprit ressemble à un mollusque gastéropode : il sort avec lenteur de sa coquille. Gluant du pied et lent à démarrer... J'ai laissé triompher mon ami. J'aurais dû – j'aurais pu – lui rétorquer quelque chose. C'est seulement aujourd'hui, englouti dans le rouge infini des fleurs, que je trouve ma réplique.

« Mon vieux raisonneur et cher écraseur, aurais-je dû lui répondre : observe la teinte du coquelicot. Aucun de nos pigments chimiques ne l'égale. Hume la fragrance amère de cette sève. Frôle le charbon de ces étamines. Caresse le trésor de ce pistil... Ne sens-tu pas la vie qui y palpite ? Ne te rends-tu pas compte que la fleur et toi, vous êtes de la même substance ? Entre l'automobile et la corolle, il y a la même différence qu'entre le réel et le rêve – entre le vulgaire et l'idéal.

« Le coquelicot et la Ferrari Testarossa ont des couleurs voisines. La voiture roule plus vite. Mais la fleur va plus loin.

« Le bolide vaut une fortune. Le coquelicot ne coûte rien. Mais il n'a pas de prix. »

La décroissance enchantée

Ce qui me séduit dans une telle manière de voir,
c'est qu'à perte de vue elle est créatrice de désir...

ANDRÉ BRETON
L'Amour fou

Décroissance…

Un mot. Quatre syllabes pour un avenir.

Dé-crois-san-ce… *Pom ! Pom ! Pom ! Pom !*

Les quatre coups du destin, au début de la *Cinquième Symphonie* de Beethoven…

Décroissance…

Un mot, certes, mais un gros mot dans nos sociétés de délire productiviste et de mesure du succès par le volume du compte en banque… Une injure, dans notre civilisation dominée par le culte vampirique, quasi sacrificiel, des profits, des paradis fiscaux, des stock-options, des parachutes dorés… Une incongruité, dans notre univers de fric et de pèze, où l'on se soucie de quantité, jamais de qualité. Où, à moins d'un milliard, t'es plus rien. Où le critère de réussite gît dans cet argent dont Freud suggère qu'il symbolise les excréments de l'enfant (ou de l'adulte bloqué) au stade sadique-anal. Il y a de la subtilité dans la psychanalyse, même si les concepts qu'elle emploie restent (eût dit Montaigne) « ondoyants et divers ».

Telle que l'organisent nos capitaines d'économie, ou plutôt telle qu'ils la subissent et l'implorent, la croissance est une défécation collective qui transforme la Terre en un monstrueux tas de fumier. Non pas « bio », ça va de soi ! Avec des gaz à effet de serre, des métaux lourds, des isotopes radioactifs, du mazout, des pesticides, des dioxines, des PCB, des détergents, des nitrates, des hormones et cent mille molécules nées de notre chimie lourde ou fine, dont les milliards de combinaisons possibles forment un brouet si délétère que la plus verruqueuse des sorcières n'y reconnaîtrait pas son chaudron...

À l'inverse, la décroissance signifie moins de saccages, moins de déchets, moins de laideur. Moins d'ordures, de salissures et de souillures. Davantage d'harmonie. Un peu plus de bonheur. Un supplément de BIB, ce « bonheur intérieur brut » qui devrait remplacer, dans nos calculs économiques, le triste et fallacieux PIB, le produit intérieur brut. (On sait qu'un arbre coupé, une baleine dépecée, une bombe larguée sur une ville ou un accident de la route augmentent le PIB et sont censés améliorer notre niveau de vie.)

La décroissance tient de la douche et de la catharsis. C'est une purification. Une ablution. Elle nous nettoie, dedans comme dehors. Elle rince notre âme et notre corps, et elle épargne notre milieu. Un marchand de lessive dirait qu'elle « lave plus blanc ». Que quoi ? Mystère ! Comparaison sans référence, grammaire de publicitaire !

Coluche s'esclafferait qu'elle récure « plus blanc que blanc ». Et il aurait raison.

***

Décroissance…

Bien sûr, ce mot n'a ni traduction ni pertinence dans la plupart des langues du Tiers Monde – d'Haïti à la Somalie et du Mali au Malawi ; des bidonvilles de Bogota aux favelas de Rio ; des taudis du Caire aux trottoirs de Manille.

Le sens de ce vocable est difficile à saisir (et même à imaginer) pour la majeure partie de la population du globe. Celui qui n'a rien peut-il posséder moins ? Celui qui va nu peut-il se dépouiller ? Le mendiant doit-il offrir et le crève-la-faim se mettre au régime ?

La décroissance, oui ! Mais pas pour tout le monde.

Quelques observations nourriront le débat.

Le Nord-Américain consomme en moyenne cinq cents litres d'eau par jour (j'arrondis ; personne n'a les vrais chiffres), l'Européen deux cent cinquante et l'Africain vingt-cinq. Si le Nord-Américain diminue de moitié sa part, il se met au niveau de l'Européen et vaut encore dix Africains. Si l'Africain divise sa ration par deux, il est mort.

Un milliard trois cents millions d'humains (un sur cinq) n'ont aucun accès à l'eau potable (deux cent mille dans un pays aussi riche que la France). Ils seront deux milliards (un sur quatre) en 2025 : c'est ce qu'on appelle le « progrès ». On sait que les eaux impures véhiculent des épidémies (choléra, dysenterie, etc.) et qu'elles hébergent les vecteurs du paludisme, de la bilharziose, de l'onchocercose…

Chaque année, neuf millions d'*Homo sapiens* meurent de faim. Mille par heure. Un toutes les

…e secondes. Le temps de lire cette ligne et …un malheureux décède. Il était si squelettique …ne fournira guère d'humus. Une bouche de moins à nourrir ; mais tant d'autres réclament…

Neuf millions de cadavres par an, c'est plus que n'en laissent derrière eux les agents microbiens réunis de la pneumonie, du sida et du paludisme, les trois tueurs en série de notre époque. Neuf millions de défunts, cela signifie aussi que des centaines de millions d'individus souffrent de sous-alimentation. Huit cent cinquante-quatre en 2006, selon la FAO. Je vous le fais à neuf cents : j'ai toujours été optimiste.

Un humain sur sept a faim…

Imaginez notre espèce (six milliards et demi d'individus, je le rappelle) regroupée en un seul lieu. À cinq têtes par mètre carré, la basse-cour occupe mille deux cents kilomètres carrés – la superficie de New York. Un démiurge surgit en ricanant de derrière les nuages et vous impose un choix analogue à celui de Sophie chez William Styron. Vous devez en désigner un sur sept. Au hasard, il y a de fortes probabilités pour que vous tombiez sur un enfant. Regardez dans les yeux celui que vous condamnez et dites-lui : « Désolé, mon gars (ou ma fille) : y a plus rien à manger ! »

« Les riches doivent vivre plus simplement pour que les pauvres puissent simplement vivre. »

La formule est du mahatma Gandhi.

Depuis un demi-siècle, le moins qu'on puisse dire est que l'humanité n'a pas emprunté le chemin du sage indien. Les nantis étalent leur luxe avec une vanité obscène. Ils affichent une telle intensité dans l'égoïsme qu'ils en deviennent fascinants. Les indigents sont de plus en plus nombreux et de plus en plus durement frappés : ils subissent non seulement la faim, le froid et la peur, mais la saleté, la maladie, la solitude, le mépris, l'humiliation.

Les SDF font partie du décor de nos villes, et pas seulement dans le Tiers Monde. De Mexico à Bombay ou à Paris, on se croirait revenu à la cour des Miracles, au temps de Quasimodo et d'Esméralda. Avec des infirmes, des vérolés, des poitrinaires, des scrofuleux, des amputés du travail ou de la guerre, bref les laissés-pour-compte d'une civilisation de l'insensibilité à perpétuité et de la charité d'un jour.

On évalue à plus de deux cents millions le nombre d'humains privés de toit. Notre époque se vante d'être la plus inventive et la plus productive de l'Histoire. Elle crée surtout de vertigineux désespoirs.

Deux à trois pour cent des hommes possèdent la moitié des richesses de la planète. Les cent plus grandes fortunes ont plus d'argent que tous les pays d'Afrique noire réunis... Au Moyen Âge, un seigneur de haut rang avouait des revenus équivalents à ceux de cinq ou six cent mille manants. De nos jours, les actionnaires des sociétés majeures, ceux qui ont remplacé Crésus et Rockefeller dans l'imaginaire des peuples, les rois du pétrole, de la banque, du grand commerce et de l'informatique, possèdent chacun une fortune égale au produit national brut d'un État de cinq ou six millions d'habitants. La Guinée ou le Honduras...

Aux XVIIIe et XIXe siècles, la bourgeoisie a renversé l'aristocratie au nom de la liberté et de l'égalité (la fraternité n'était sur la devise que pour faire joli). Au XXIe siècle, loin d'avoir réduit l'inégalité entre les hommes, le capitalisme l'a multipliée par dix.

Le progrès, vous dis-je !

On recense, sur le globe, un milliard de riches (les habitants de l'Amérique du Nord, de l'Europe, du Japon, de l'Australie et les privilégiés des pays émergents). Et cinq milliards et demi de pauvres. Les riches (au sens large : ils sont loin de l'être également) consomment les deux tiers des aliments disponibles ; les sept dixièmes de l'énergie ; les trois quarts des métaux ; les quatre cinquièmes du bois et des produits de la pêche ; les cinq sixièmes des crédits d'éducation ; les neuf dixièmes des budgets de recherche et développement. Ils possèdent les trois quarts des automobiles et neuf avions sur dix. Chaque nanti utilise dix fois plus d'acier ou de cuivre que le gueux ; douze fois plus de pétrole ; quinze fois plus de papier ; dix-huit fois plus de produits chimiques ; dix-neuf fois plus d'aluminium. Et ainsi de suite.

Les enfants de riches reçoivent de l'argent de poche. La somme de ces petits cadeaux en famille excède le revenu cumulé des cinq cents millions d'humains les plus pauvres.

Vu des tropiques, le Père Noël est vraiment une ordure.

***

Le grand possédant a-t-il mille ou un million de fois plus de valeur que l'indigent ? Mille ou un million de fois plus d'aptitudes ? D'énergie ? De créativité ? De génie ? De capacités scientifiques et techniques ? De dispositions à goûter les beaux-arts, la musique, la poésie, l'humour, l'amour ?

Un seul *Homo sapiens* peut-il en égaler des légions d'autres ? Du point de vue biologique, écologique, sociologique, moral, juridique ou philosophique, c'est indéfendable. Insultant. Ignoble. Hitlérien. De surcroît, idiot et contre-productif. Mais c'est notre façon de penser. Nous incarnons jusqu'à l'absurde une espèce hiérarchique.

D'un côté, de gigantesques fortunes s'amassent, dont le montant ressemble à une hallucination. Bill Gates, le Moloch de Microsoft, l'homme le plus riche du monde, cumule cinquante-trois milliards de dollars en 2006 (d'après *Forbes*) ; il en donne à des œuvres, mais les mauvaises langues font observer que sa générosité, fiscalement compensée, n'excède pas quelques pour cent de sa fortune. À l'autre extrême, le seuil de pauvreté, selon la Banque mondiale, s'établit entre un et deux dollars par jour... Avez-vous essayé de vivre avec un dollar par jour, même au Burkina Faso ou au Soudan ? Si vous n'appelez pas cela une réunion de facteurs propices au déclenchement de la prochaine révolution, j'ignore de quoi vous parlez ! À la lumière de l'écologie, les paroles de *L'Internationale* reprennent de l'ardeur : « Debout, les damnés de la terre, debout les forçats de la faim ! »

Le journaliste, polémiste et imprimeur Pierre Leroux (1797-1871), qui introduisit le mot « socialisme » en France, posait la question suivante dans *De l'humanité, de son principe et de son avenir* : « Serai-je sur terre quand la justice et l'égalité régneront parmi les hommes ? »

J'ai le regret de lui annoncer qu'il est mort depuis

plus d'un siècle et que la réponse est toujours « non ».

***

Dans les pays de misère (que le politiquement correct appelle « en voie de développement »), la décroissance ne se conçoit même pas. Ce serait une injure à ventre creux ; une offense à bébé frappé de rachitisme ou de kwashiorkor ; un affront à mère affamée au sein vide ; un outrage à victime du sida qui agonise parce qu'il est indigent et que les laboratoires pharmaceutiques font payer cher leurs molécules.

Il n'empêche que, dans ces contrées aussi, il faudra en contraindre certains à la décroissance ! De richissimes roitelets, dictateurs, présidents à vie, théocrates, chefs de guerre ou trafiquants de haut vol étalent un niveau de consommation en diamants, palais de marbre, avions privés et voitures de luxe qui supporte un grand coup de balai. Reste à savoir comment faire rendre gorge à ces affameurs... Si la décroissance était décrétée dans le monde, ils se débrouilleraient pour en faire porter le fardeau aux crève-la-faim ; et ils appelleraient cela « le progrès pour le peuple », « le socialisme ou la mort » ou « la volonté de Dieu dans la République islamique ».

Chez les va-nu-pieds eux-mêmes, le réflexe égalitaire n'est pas garanti. Entre traîne-misère, on n'est ni doux, ni accommodant, ni généreux. On se sent aux abois. On a peur. On n'a pas le choix. On se tend des pièges, on se vole, on se bat, on se blesse, on se tue.

Quelle que soit la classe sociale observée, les sages et les saints sont rares. Aussi peu communs que les miracles… Tout le monde ne s'appelle pas saint François d'Assise. N'est pas Diogène qui veut. Lorsque le degré de consommation devient si faible qu'il prend le nom de « misère », l'homme a du mal à faire de la frugalité une valeur positive et de la restriction un idéal. Avec l'estomac vide et pour seul toit les étoiles, il devient difficile de prôner le bonheur par le peu.

***

La décroissance est une utopie.

Mais bien moins que la croissance !

Il nous la faut. Et vite… De toute façon, si nous ne la désirons pas, si nous ne faisons rien pour l'instaurer, la réalité nous l'imposera. Avec la violence et les dégâts collatéraux dont la nature est capable…

Puisqu'elle est contre-indiquée chez les va-nu-pieds, nous devons la décréter et l'appliquer dans les pays fortunés. C'est un sacrifice, bien sûr. Mais comment ne pas nous y atteler, puisque c'est une condition de survie ? On ne rechigne pas à se faire tailler la couenne ou un bout d'organe par le chirurgien quand on souffre d'un abcès, d'une tumeur ou d'un souci esthétique. Les obèses se font liposucer et même parfois retirer au bistouri un peu de graisse de l'abdomen, des hanches ou des cuisses. Pourquoi ne pas alléger notre société de sa pléthore ?

La décroissance est une liposuccion.

Ceux qui ont trop mangé, trop bu, et qui se sont infligé une indigestion ont intérêt à passer quelques jours à la carotte râpée et à l'eau fraîche.

Notre civilisation souffre de maux de tête, de nausées, de diarrhées. Elle a trop bâfré, trop picolé, elle a la gueule de bois... Nous devons nettoyer nos cellules, extirper les toxines de notre organisme, nous revigorer après cette grande bouffe que nous avons pu croire perpétuelle et qui n'était qu'une fête de fin de cycle.

La décroissance est une diète.

D'un autre côté, les légumes, les fruits, les sources pures, les simples nourritures constituent autant de délices. Lorsqu'on les savoure, on se sent plus léger et en bonne santé. On grimpe mieux les escaliers ou les sentiers. On tonifie son cœur et on ravive sa mémoire. On a les idées plus claires et mieux ordonnées. On veut bâtir, mais pas avec du béton. On imagine. On rêve. On crée. On se sent porté vers les délectations esthétiques, sensuelles ou sexuelles dont nous éloignent les excès d'aliments lourds, d'alcool et d'autres drogues.

La décroissance est une jouissance.

Elle nous remet en phase avec le monde. Elle nous réinsère dans la puissance maternelle de la nature. Elle nous débarrasse de nos artifices. Elle nous redonne le plaisir de la sagesse et de l'humilité.

Comme dit Laozi, dans le *Tao Te King* :

« Fermer sa bouche, clore ses portes, tempérer son ardeur, se dégager de ses liens, harmoniser sa lumière, se fondre dans le milieu, cela s'appelle la mystérieuse union.

On ne peut l'obtenir et éprouver des affections ; on ne peut l'obtenir et faire des différences ; on ne peut l'obtenir et réaliser des profits ; on ne peut l'obtenir et voler autrui ; on ne peut l'obtenir et désirer ceci ou déprécier cela. »

***

Décroissance…

Le mot est non seulement nécessaire, mais suffisant. Séduisant. Captivant. En premier lieu, il est féminin. (« Croissance » aussi, me direz-vous ; mais je vous détrompe : c'est un travesti ; sous la robe se cache un mâle agressif, obsédé par la bagarre et dont les poils de la poitrine exsudent la testostérone.)

Décroissance…

Dans ces quatre syllabes et ces douze lettres, je vois une tête, deux seins, un gros ventre rond et deux cuisses ouvertes. C'est une femme en couches. Elle met au monde. Elle enfante une version adoucie et améliorée (si c'est possible !) de l'humanité. Elle ajoute de l'onctuosité à nos sociétés rugueuses ou rouillées d'anthropoïdes braillards et querelleurs. Elle constitue le préambule d'un nouveau et nécessaire *Contrat social*.

Si l'on accepte de la considérer avec bienveillance, ou au moins avec neutralité, on constate qu'elle constitue l'unique dénouement favorable à la crise mondiale qui nous ballotte comme un pétrolier dans une tempête de force dix, avec une avarie de moteur et un commandant ivre à la barre. La décroissance représente une issue heureuse, une échappée belle, un happy end, une façon de brider nos comportements dévastateurs, souvent plus bêtes que méchants, mais parfois d'une cruauté qui confine au satanique et que, mieux que quiconque, le marquis de Sade a peints en lettres de sang, d'urine et de merde dans *Juliette ou les Prospérités du vice*. Relisez ce chef-d'œuvre : vous y découvrirez notre âme limoneuse.

Si nous voulons nous en sortir, ne comptons pas sur les percées scientifiques (l'énergie de fusion, la conquête spatiale, le génie génétique, les nanotechnologies...) ; et pas davantage sur les « révolutions » techniques (l'Internet, l'ordinateur à ADN, les biocarburants, le charbon liquide, les puits de carbone...). Nous ne nous sauverons pas non plus à coups de mots d'ordre creux et de babils politiques ou économiques, au premier rang desquels je range le fameux « développement durable » dont nul ne pourrait dire en quoi il consiste, au-delà de quelques recommandations de bon sens dont les plus retors se saisissent pour se délivrer des permis de nuire en toute bonne conscience.

Ce n'est pas en soufflant sur notre gros bobo existentiel que nous en combattrons les causes. C'est en fouillant dans les profondeurs de notre moi reptilien et humain à la fois. En observant nos tripes... Peut-être, alors, aurons-nous la capacité de nous comprendre et le courage de nous réformer.

***

La croissance dont on nous rebat les oreilles à longueur de journal télévisé ou de discours électoral est à la fois sadique et coprophile (du grec *kopros*, « excrément », et *philos*, « ami »). Elle est génératrice d'autant de milliards de tonnes de déchets que de milliards de tragédies pour l'homme et les espèces qui le côtoient sur la planète.

La perspective en est aussi fallacieuse que l'existence du Père Noël. On démontre, par les méthodes de la science, que ce barbu en habit rouge, et probablement un peu pédophile, n'est qu'une imposture. Supposons qu'on dénombre, dans les familles chrétiennes, quatre cents millions d'enfants sages qui l'attendent dans la nuit du 24 au 25 décembre. Mettons qu'il accomplisse sa tournée en vingt-quatre heures (en suivant les fuseaux horaires). Il doit effectuer cinq mille visites par seconde. Il dispose d'un cinq millième de seconde pour parquer le traîneau, dévaler la cheminée, distribuer les jouets sans se tromper, remonter, fouetter ses rennes et passer à la maison suivante. La longueur de sa tournée avoisine cent cinquante millions de kilomètres (la distance Terre-Soleil). Le traîneau doit filer à plus de mille kilomètres par seconde. Si chaque enfant reçoit un jouet d'un kilogramme, le véhicule est rempli de quatre cent mille tonnes de cadeaux. Une masse aussi colossale, propulsée à la vitesse indiquée, engendre une résistance de l'air qui élève la température de plusieurs milliers de degrés.

À peine parti de Laponie, le Père Noël est carbonisé.

C'est la raison pour laquelle, s'il a existé un jour, maintenant il est mort.

Il en va de même pour la croissance.

Si elle a existé un jour, elle est défunte.

Si elle était possible partout, au rythme que préconise la vulgate économique et journalistique (trois pour cent par an ; mais d'où sortent-ils ce chiffre ?), elle aboutirait à un doublement, tous les quarts de siècle, de nos prélèvementsen énergie, en espace, en eau, en matières premières, en métaux, en bois, en produits de l'agriculture et de la pêche, etc. Soit une multiplication par seize en un siècle ! Folie furieuse ! La conséquence de ce processus serait, au sens figuré comme au sens propre, un échauffement mortel de la planète et de ses créatures.

Qui partiraient en fumée comme le Père Noël.

***

Aucun arbre, pas même le sapin de Noël, ne pousse jusqu'au ciel. La croissance à long terme sur la Terre est un mirage. Une bulle. On peut, à la rigueur, faire progresser le PIB dans une partie du monde ; mais aux dépens du reste. Considérée comme la solution magique à nos problèmes (niveau de vie, chômage...), la croissance est un leurre, une arnaque, un espoir sans fondement. Une faute logique autant qu'un mensonge. Une illusion que ceux qui possèdent instillent dans le cœur des naïfs ou de ceux qui n'ont rien...

La croissance, c'est l'opium du peuple !

Nul besoin d'être économiste, et surtout pas distingué, pour juger à quel point ce concept est fumeux. On dévoile la supercherie dès qu'on regarde plus loin que le bout de sa carte bleue. Les religions monothéistes promettent aux miséreux la ressuscitation puis l'extase éternelle dans la gloire de Dieu. L'idéologie de la croissance leur fait miroiter le bonheur matériel pour après-demain ; c'est-à-dire quand ils pourriront dans leur tombe.

Non seulement la croissance indéfinie est un mythe, mais elle nous apporte le malheur. Elle nous conduit au chaos.

Si nous continuons de la désirer avec autant d'âpreté, l'humanité disparaîtra, bon débarras !

Mais nous pouvons tenter autre chose.

La croissance nous enchaîne, la décroissance

nous libère. L'une est homicide, l'autre rend l'espoir. La première nous perd, la seconde nous sauverait.

La décroissance, c'est la vie !

C'est la fin d'un mode de production primaire et mortifère, basé sur le pillage des ressources naturelles, la puissance des machines, la consommation forcenée des énergies fossiles, le culte du profit et l'aggravation générale de l'inégalité entre les hommes. J'y vois le début de la rédemption écologique, philosophique et spirituelle de notre espèce. Si nous réussissons cette mutation, nous entrerons dans une nouvelle époque de notre histoire.

Fini l'ère quaternaire peuplée d'australopithèques et d'*Homo erectus* poilus, de Neandertal au front bas et de Cro-Magnon mal léchés !

Vive l'ère quinquénaire, au cours de laquelle l'*Homo sapiens sapiens* honorera son double qualificatif de « sage sage » et pourra (enfin !) égaler son destin !

« Décroissance », j'écris ton nom, comme Paul Éluard celui de « liberté »... En le faisant, je songe à ces ruines admirables devant lesquelles s'extasiaient les poètes et les peintres préromantiques – Piranese ou Hubert Robert. Je me délecte à l'idée de venir, un jour, humer le parfum des fleurettes qui crèveront l'asphalte des autoroutes abandonnées ou le béton des parkings déserts.

Dans un autre registre, je me figure ces monstrueuses barres d'HLM édifiées dans les années soixante, et qu'on foudroie dans certaines banlieues. Existe-t-il plus bel anéantissement ? Plus esthétique abattage ? Collapsus plus jouissif ? Savamment truffé d'explosifs, le parallélépipède de béton s'effondre sur lui-même, étage après étage, pour ainsi dire en bon ordre. Lorsque le nuage de poussière se dépose et qu'on évacue les gravats, la place est libre. La page blanche... Si l'esprit de lucre, les embrouilles immobilières et la volonté de puissance ne reprennent pas trop vite le dessus, on y bâtit des maisons à dimension humaine ; attirantes et conviviales ; avec des pots de fleurs aux balcons et des cages d'escaliers sans graffitis ; où peuvent s'épouser le cœur et la raison des hommes ; où Roméo noir et Juliette blanche échangent des regards par la fenêtre, en espérant que la haine de l'autre et le poison du racisme ne viendront pas saccager leur histoire...

***

Décroissance...

Ce mot débute par le préfixe privatif « dé » : il sonne comme une chaîne que l'on brise.

C'est notre Amérique. Notre Nouveau Monde. Notre grand voyage. J'imagine l'événement. Le grand soir (même s'il n'y a jamais de grand soir) en version chlorophylle ou arc-en-ciel. Les esclaves se révoltent contre le faux progrès. Ils brandissent le drapeau vert ou l'écharpe d'Iris. Ils ne hurlent pas : « Mort aux tyrans ! » Ils ne dénoncent pas leurs voisins à la police. Ils ne réclament contre eux ni l'échafaud, ni le peloton d'exécution, mais le devoir de contempler « les nuages qui passent, là-bas..., là-bas..., les merveilleux nuages » (Baudelaire).

Ils oublient le pernicieux « toujours plus » dont notre espèce risque de mourir. Ils s'engagent sur le chemin du « moins, mais mieux ».

Le Spartacus de l'écologie harangue les insurgés en douceur. Il est juché sur une charrette de légumes biologiques. Il cite Wang Wei ou Rimbaud plutôt que Sun Tzu *(L'Art de la guerre)* ou von Clausewitz *(De la guerre)*. Il n'a pas le biceps et le pectoral hormonés des acteurs d'Hollywood. Il ressemble à Bashô, à François Villon ou au Pèlerin chérubinique, Angelus Silesius, l'auteur de ces vers :

La rose est sans pourquoi.
Elle fleurit pour fleurir,
Sans savoir qu'elle fleurit,
Sans vouloir qu'on la voie.

Le héraut de la décroissance promet au peuple non pas du pain et des jeux de cirque, non pas des hamburgers et de la télévision, mais une vie plus simple et moins violente. Les insurgés ne portent pas le glaive ou la kalachnikov, mais les attributs de Dionysos : la violette et le vin ; dans les pays islamiques, la rose et le haschisch ; chez les Chinois, la pivoine et l'opium ; chez les Incas, le cactus et la coca.

Toujours avec modération !

La décroissance nous sera bénéfique, de même qu'il est bon pour l'individu de perdre son embonpoint, son cholestérol ou ses excès de sucre dans le sang. Elle nous permettra de nous sentir plus toniques et plus aériens ; de courir plus vite ; d'aller plus loin ; et d'élever des enfants moins stressés, mieux adaptés et plus aptes à réparer nos erreurs.

Supposons que nous ayons cette sagesse : tout devient possible. Je rêve éveillé.

Nous diminuons à la fois notre consommation, notre charge de travail et les ennuis qui vont avec. Nous refusons de nous entasser comme du bétail dans le métro ou l'autobus pour (disions-nous en Mai 68) aller gagner notre vie à la perdre. Nous économisons les matières premières, l'énergie, les arbres de la forêt, les poissons de la mer. Nous bannissons les processus de production dévastateurs. Nous n'empoisonnons plus sans vergogne l'air, l'eau et la terre. Nous manifestons la volonté de tout recycler, à commencer par le cortège immense des gadgets que nous avions achetés à la hâte, qui nous semblaient si nécessaires et dont nous ne comprenons même plus l'utilité.

Ceci n'est qu'un songe, mais c'est si bon !

Nous modifions nos désirs. Nous repeignons les rues aux nuances des saisons. Nous dansons dans les grands magasins et les ateliers d'armements devenus inutiles, que nous transformons en souks, en crèches, en salles de cinéma, en cybercafés ou en lieux de rencontre pour tout âge.

Nous remplaçons la malbouffe par la dégustation lente – le *fast food* par le *slow food*. Nous jouissons de nos repas au lieu de les expédier pour repartir plus vite au travail. Nous suivons les recommandations de Carlo Petrini, l'apôtre de la nonchalante exaltation des papilles. Salut à toi, Carlo l'Italiano ! Je débouche une bouteille de barolo, j'en sers un verre aux amis, nous trinquerons à ta santé jusqu'au soir ! Gorgée après gorgée... Nous avons le temps. À quoi bon nous presser ?

La mort rattrape à la même vitesse le lièvre et la tortue : tel est le paradoxe des destins, que nul Einstein ne mettra jamais en équation.

La décroissance : notre nouveau slogan.

Je suis convaincu que nous devons en passer par

cette phase de déconstruction, ou plutôt de reconstruction en douceur (pas facile à expliquer ni à populariser, je le concède), si nous voulons continuer la singulière aventure de l'homme sur cette planète, dans ce système solaire et (un jour, pourquoi pas ?) sur un satellite de Proxima du Centaure ; en attendant (dans quelques années-lumière, autant dire en empruntant le traîneau du Père Noël) dans les parages de Sirius ou d'Aldébaran…

Décroissance !

Ce mot d'ordre devient difficile à suivre lorsqu'on y ajoute les restrictions que j'ai dites : uniquement dans les pays riches ; et en aidant les plus pauvres. Un mot d'ordre à tiroirs n'est pas audible, le premier conseiller en communication venu vous le dira. Mais vous savez ce que je pense de la « comm' », de ses pompes et de ses œuvres.

Notre problème est celui de la complexité. J'aime à le seriner : toute idée simple est une idée fausse. Seules s'énoncent aisément les solutions aux questions que personne ne pose. Autrement dit : à toute question complexe correspond une solution simple, mais qui ne marche jamais.

Les idées simples sont à l'origine de tous les racismes, de tous les fanatismes, de toutes les dictatures, de toutes les guerres. La faute aux Juifs, aux Arabes, aux Noirs, aux Asiatiques, aux Américains, à l'Europe, aux capitalistes, aux communistes, aux islamistes, jamais à moi, toujours aux autres ! On connaît la chanson.

Quand les questions sont complexes, les solutions le sont aussi. Je résume notre problème. *Primo* : nous cherchons à enclencher la décroissance chez les nantis. *Secundo* : nous voulons conserver une croissance minimale pour les pauvres dans les pays riches. *Tertio* : nous préconisons une croissance contrôlée – une session de rattrapage – pour le Tiers Monde.

Ces trois objectifs en impliquent un quatrième : la nécessité du partage.

Et là, on est mal…

Chez l'animal à deux pieds sans plumes, le partage est la chose au monde la moins partagée. De ce point de vue, l'humanité n'est pas sortie de son enfance égoïste. « Ma cassette ! Ma cassette ! » criait Harpagon. Pour ce qui touche à la générosité, que l'autre commence ! Ensuite, j'aviserai…

***

Saurons-nous vaincre à la fois nos pulsions animales et notre peur, trop humaine, de nous faire abuser ? Je n'en suis pas sûr.

La décroissance est une nécessité et une libération. Cependant, la plupart de ceux à qui j'en parle la tiennent pour une calamité. Qui désirerait posséder moins ? (Je n'ai déjà pas grand-chose et vous voudriez me l'enlever !) Qui se réjouirait de voir son territoire amputé, son rang social diminué ? Qui aurait envie de brader un avantage ? Qui soutiendrait que manger un gâteau plutôt que deux constitue un progrès ? Qui affirmerait qu'une bicyclette a plus de prix qu'une belle voiture ? Qu'une cabane solaire est plus désirable qu'une grosse maison surchauffée au mazout ?

Personne, sauf le masochiste, le sage et le saint. Pour les gâteaux, j'ajoute : le médecin nutritionniste. Pour le véhicule et la bâtisse, l'écologiste.

Je redoute que mon message ne passe mal. Ou

que mes congénères ne fassent mine de l'ouïr, puis continuent de se comporter comme devant, jusqu'au dernier soupir du dernier des Mohicans que nous sommes... Je crains que, dans le maelström de territoire et de hiérarchie qui bouillonne sous nos crânes, mon utopie ne finisse en capilotade.

La décroissance exige un courage et un sens de la responsabilité qui nous manquent. Georges Bernanos l'a écrit :

« Je pense depuis longtemps que, si un jour les méthodes de destruction de plus en plus efficaces finissent par rayer notre espèce de la planète, ce ne sera pas la cruauté qui sera la cause de notre extinction, [...] mais la docilité, l'absence de responsabilité de l'homme moderne, son acceptation vile et servile du moindre décret publié. »

***

Nos passions sont étranges.

Nous ne pouvons ni les ignorer, ni les réprimer, ni les bafouer (car elles se vengent), ni les refouler (car elles resurgissent masquées). Mais nous avons la possibilité de les infléchir, de les duper, de les abuser, de les mettre en concurrence ou de les associer différemment les unes aux autres, bref de les unir de façon originale à notre corps et à notre âme.

Ici s'ouvre une sortie de secours.

Plus nos passions sont vives, variées, contradictoires, plus nous avons de possibilités de neutraliser les plus pernicieuses et de les réorienter dans le sens de notre intérêt authentique. L'utopiste Charles Fourier disait la même chose dans sa

Théorie des quatre mouvements et des destinées générales :

« Les passions s'accordent d'autant plus facilement qu'elles sont plus vives et plus nombreuses. Ce n'est pas que ce nouvel ordre doive rien changer aux passions ; cela ne serait possible ni à Dieu ni aux hommes : mais on peut changer la marche des passions sans rien changer à leur nature. »

Nous pouvons redéfinir notre pulsion territoriale en lui assignant le but de protéger la Terre entière.

Nous pouvons infléchir du côté du stoïcisme – de la maîtrise de nous-mêmes et non des autres – notre appétit de domination.

Nous pouvons attacher notre égoïsme au service du bien commun, en nous persuadant que ce qui profite à l'humanité (une biosphère en équilibre) sert aussi à chaque homme.

Pour réussir la décroissance, remodelons nos passions ! Entrecroisons-les de façon inédite. Mêlons la joie à la peine. Prenons plus de plaisir à respecter la nature et les hommes qu'à les réduire en esclavage ou à les anéantir...

Nous gagnerons notre pari si nous nous prouvons à nous-mêmes, et si nous démontrons à nos semblables, que nous sommes plus sereins, plus amènes, plus pétris d'émotions positives, en un mot plus heureux lorsque nous possédons peu que lorsque nous avons beaucoup. Car plus nous nous approprions, plus nous devenons malheureux : crainte de tout perdre !

Telle était la morale de la fable de La Fontaine *Le Savetier et le financier*... Le savetier vit pauvre et heureux : il ne cesse de chanter. Lorsque le financier lui donne cent écus,

Il retourne chez lui ; dans sa cave il enserre
L'argent et sa joie à la fois.

L'artisan perd le sommeil, la santé et le plaisir d'être au monde. Il n'a de cesse de redevenir à la fois libre et sans le sou.

Nous progresserons si nous faisons surgir de notre discours et de nos actes la conviction que nous serons tous gagnants au partage, et bien plus que nous ne l'imaginons. Nous accomplirons un pas en avant si nous prouvons par l'exemple que mieux vaut une planète découverte de voitures que recouverte par la montée des eaux. Que mieux nous sied une Terre non cotée en bourse, mais respirable, buvable et aimable, qu'une sphère de milliardaire en monnaie de grand singe, radioactive, amiantée, nitratée, persillée de pesticides et de métaux lourds, piégée de mines et de grenades, et tellement enfumée qu'en se mettant à la fenêtre, il devient impossible de contempler la simple harmonie d'un coucher de soleil...

Nous devons nous persuader que seule une vigoureuse décroissance nous permettra de garder forte et saine notre mère Gaïa. Nous avons besoin d'une biosphère où les montagnes, les déserts, les forêts, les prairies, les lagunes, les récifs, les banquises nous offrent de fabuleux spectacles, plutôt que des immensités ravagées par les bétonneuses, les tronçonneuses ou les filets géants, et où plus jamais ne pourraient vivre l'orchidée sauvage et le jaguar, le gorille et le tigre, le Papou et le Jivaro ; où l'on ne croiserait plus ni l'étoile de mer, ni le poisson-ange, ni le requin blanc, ni la baleine qui chante, ni le dauphin à l'énigmatique sourire ; et pas davantage le Polynésien pêcheur de perles ou l'Inouk sur son kayak.

*
* *

Jusqu'où la décroissance ?

J'aurais tendance à écrire : jusqu'au bout !

En d'autres termes, jusqu'à ce que nous retrouvions une stabilité. Une harmonie. Un équilibre... Jusqu'à ce que le bonheur des hommes et la magnificence de la Terre redeviennent compatibles. Jusqu'à ce que la planète et l'*Homo sapiens*, son espèce la plus agitée et la plus inquiétante, parviennent à se réconcilier.

Nous devons signer ce pacte avec nous-mêmes.

Et le respecter !

Si nous choisissons de décroître, veillons à ce que le processus s'accomplisse dans le cadre d'une régression durable. (Ici, j'accepte l'adjectif !) L'effort doit être supportable, graduel et prolongé. Nous devons maîtriser nos décisions, prévoir les coups de chien, amortir les dommages, compenser les sacrifices, équilibrer les efforts, rectifier les erreurs... Faute de quoi, nous verrions resurgir la tentation de la violence, les traîtrises, les mensonges, la course aux armements et la guerre.

On me pose toujours la question en conférence, après que j'ai expliqué à quel point les accords de Kyoto sont loin de satisfaire à l'urgence climatique : « Régresser, oui ; mais jusqu'où ? » Je réponds : « Dans nos pays riches, nous devrions diviser la consommation d'énergie par deux. » Long murmure dans la salle... Je capte, pour ainsi dire, la pensée de mes auditeurs : « Il est devenu fou ! » Je pose cette question en retour : « Selon vous, à quelle époque nous ferait revenir la réduction de moitié de notre consommation d'énergie ? – Au Moyen Âge ! – À Jules César ! – À l'homme des cavernes ! »

Eh ! bien, non… Cela nous renverrait en arrière ; mais seulement dans les années… soixante !

En 1960, j'avais quinze ans. En famille, nous ne possédions qu'un seul poste de radio, un petit téléviseur (en noir et blanc), un réfrigérateur, une machine à laver le linge (pas la vaisselle), une 4 CV toujours en panne, et nous nous chauffions pour une bonne part au bois que nous allions couper dans la forêt. Ce n'était pas le Moyen Âge. C'était la civilisation. Je lisais Jack London, San-Antonio et Platon. À la radio, j'écoutais en alternance *Aïda* de Verdi et *Che sera* par Dalida.

Et c'était bien.

Ce pourrait l'être encore. Ce pourrait le redevenir. Et pour longtemps. En ajoutant (pour une consommation d'énergie inchangée) à nos menus plaisirs du temps ceux de l'ordinateur et de l'Internet, du DVD et de quelques autres trouvailles techniques.

Mais ni les surcroîts de marchandises actuels, ni le cauchemar des bagnoles sur les autoroutes, ni l'horreur des avions qui décollent toutes les vingt secondes, ni les zones industrielles, ni les centres commerciaux anxiogènes, ni ces engins de mort des campagnes qu'on appelle « machines agricoles ».

***

Je partage, tu partages, nous partageons…

Il faut choisir : la mort ou le partage.

Le mot « partage » est un merveilleux substantif.

J'y vois, tout ensemble, le geste du don, le sourire de celui qui reçoit, la solidarité entre les peuples, le lien entre les générations, la main tendue à l'ennemi, le « respect » cher aux banlieusards, et l'idée capitale que la Terre n'appartient pas qu'aux hommes.

Le mot « partage » résume l'universelle générosité qui inspirerait nos actes si nous étions parfaits...

Nous en sommes loin. Mais nous pouvons écouter le Petit Prince de Saint-Exupéry : « On ne voit bien qu'avec le cœur. »

Désirons-nous vraiment partager ?

Nous n'en donnons pas l'impression. Chaque jour qui passe nous montre à quel point nous sommes durs envers nos semblables. J'ouvre le journal et je lis que les places de stationnement pour handicapés sont occupées par des indélicats munis de fausses cartes d'invalidité. Je tourne la page et j'apprends que des pharmaciens revendent les médicaments inutilisés que leurs clients leur rapportent à l'intention des malades du Tiers Monde (du coup, il faut supprimer le service, d'autant que ces médicaments pour riches n'étaient pas adaptés, et que des indélicats sur place organisaient le vol et le trafic de nombreux lots). Deux titres de la presse, relevés au hasard, par une journée ordinaire... En tant qu'humain, je ne suis pas fier. J'espère que nous ferons moins mal demain. Et je me dis que, de toute façon, nous n'avons plus qu'une alternative : la décroissance ou le néant.

C'est aussi simple que cela. La Terre peut nourrir et approvisionner en matières premières, eau, énergie, aliments, espace, etc., un (petit) milliard d'humains, à un niveau de vie voisin de celui des actuels pays riches. Or, nous sommes six milliards et demi.

Que faire ?

Décidons-nous d'honorer la Déclaration universelle des droits de l'homme (lesquels naissent « libres et égaux ») ? Proclamons-nous que l'humanité est une et indivisible, et que chaque *Homo sapiens* doit avoir le même accès à la nourriture, à l'eau, à un toit, aux loisirs, au confort et aux bienfaits nés du progrès des sciences et des techniques ?

Ou bien pensons-nous (même sans le dire) que cinq milliards et demi d'humains sont moins humains que les autres, et qu'ils peuvent crever dans leurs favelas ou leurs bidonvilles, voués à la faim, aux maladies et au désespoir ?

Si nous optons pour les droits de l'homme et le partage, ne nous voilons pas la face : cela ne se fera pas sans pleurs ni grincements de dents. L'opération suppose (quel que soit le chiffre) une baisse massive du niveau de vie occidental. Moins d'énergie, moins de gadgets et de produits manufacturés, moins de transports, moins de loisirs, et adieu le luxe ! *Bye-bye* les quatre-quatre et les grosses cylindrées, les montres en or, le caviar et le champagne, les yachts, les hélicoptères privés et les vacances de rêve dans les îles du bout du monde ! Ce qu'on appelle parfois la « décroissance conviviale » n'ira pas sans heurts, ni récriminations, ni manifestations, ni tricheries, ni tentatives de corruption ou de récupération. Les hommes politiques, les chefs d'entreprise, les syndicalistes, les leaders religieux, les citoyens ne me semblent pas encore prêts à accepter cette amputation de leurs privilèges, qu'ils considèrent comme des avantages légitimement acquis. Ils n'ont pas mesuré les réels bénéfices à long terme, pour eux-mêmes, pour leurs enfants et pour la planète, de ce qu'ils appellent encore une « régression » ou un « retour en arrière ». Voire une « honte ».

Ils y viendront par la force de la nécessité et, j'espère, par celle de l'exemple.

***

Dans l'autre hypothèse, si nous considérons (nous autres, les riches) que notre niveau de vie « n'est pas négociable », nous pouvons nous préparer à essuyer des tempêtes; que dis-je? des typhons, des cyclones et des tornades de force cinq... Très vite, nous serons assaillis par les crève-la-faim. Nous devrons nous réfugier derrière des murailles gardées militairement, à l'image de ces « cités privées » qui existent déjà en Floride ou aux Bahamas, et dans lesquelles les possédants n'ont plus le moindre contact avec la « racaille » (la « lie », la « populace »), de laquelle ils sont (très provisoirement !...) séparée par des vigiles en armes.

Qui empêchera les vagues de révoltés de monter à l'assaut des citadelles cousues d'or ? Karl Marx et les utopistes de la Révolution prolétarienne pourraient nous jouer l'impromptu du grand retour... Les riches auraient beau se barricader dans leurs châteaux, les manants s'en empareraient tôt ou tard. Violences, convulsions, guerres, atrocités et glorieux assassinats au programme... Le sang, les morts, les blessés, les viols, les orphelins, la souffrance; j'aurais tendance à écrire : comme d'habitude !

Lorsqu'on compare ces deux scénarios, on s'aperçoit vite que le plus grand profit que nous tirerions de la décroissance et du partage serait tout simplement la paix.

Il n'existe pas plus beau cadeau : demandez à ceux qui ont enduré la guerre.

De toute façon, nous ne sommes même plus maîtres du choix. Si nous, les riches, refusons le partage, si nous continuons d'obéir aux puissances financières qui prônent la mondialisation dans le seul but d'augmenter leurs parts de marché et leurs profits, nous ne pourrons jamais interdire aux moins favorisés de se mettre à faire comme nous. De nous imiter, de nous copier, de nous égaler, de nous dépasser… Les anciens pauvres entreront dans un processus de « développement » dévastateur. Ils saccageront leurs ultimes espaces de nature (adieu, tigres, éléphants, gorilles, chimpanzés, perroquets, rhinocéros et panthères !), leurs forêts, leurs savanes, leurs fleuves, leurs marais, leurs mangroves, leurs récifs…

Au nom de quoi se l'interdiraient-ils ? Sûrement pas pour faire triompher la solidarité entre Terriens que nous leur refuserions.

Imaginons ce qui se passerait si les Chinois et les Indiens (deux hommes sur cinq) décidaient d'égaler la consommation *per capita* de l'Américain moyen en espace, en énergie, en eau, en produits agricoles, en bois, en minerais…

La conclusion serait d'une effroyable violence. Pour ne pas en rajouter dans l'hémoglobine et la peinture des horreurs de la guerre, mettons qu'elle tiendrait en une onomatopée : « Badaboum ! »

***

Lorsqu'on veut juger de l'impact d'un humain, d'une famille, d'une ville, d'un pays sur la biosphère, on utilise un indicateur qu'on appelle l'« empreinte écologique ».

Le principe en est simple. Pour nous nourrir, nous vêtir, nous loger, nous déplacer, nous divertir, nous soigner ou recycler nos déchets, nous consommons des ressources naturelles – de l'énergie, des aliments, des matières premières, de l'espace...

Nous laissons une trace – une empreinte – sur la peau de la planète.

Aussi longtemps que nous ne prélevons pas davantage que le globe ne peut nous offrir, tout va bien. Notre cohabitation avec Gaïa reste possible. Nous respectons notre mère. Le système fonctionne. Il est durable.

De nos jours, lorsqu'on fait la somme des empreintes écologiques des six milliards et demi d'êtres humains, un colossal problème se pose.

Nous n'occupons que quelques parties de la planète : les continents, à l'exclusion des déserts arides ou glacés et des hautes montagnes ; et le plateau continental océanique peu profond, qui borde les terres ; soit environ deux cent quarante millions de kilomètres carrés. Divisons par six milliards et demi : la superficie moyenne disponible *per capita* s'établit à moins de quatre hectares. Laissons un hectare à l'indispensable nature sauvage (forêts, récifs, lagunes, rivières, etc.) : il nous reste moins de trois hectares chacun.

Or, l'empreinte écologique d'un Européen avoisine d'ores et déjà dix hectares et celle d'un Américain vingt. Tandis qu'un habitant d'Afrique noire n'en accapare que deux dixièmes...

En 2050, nous serons douze milliards d'*Homo sapiens*. En moyenne, il ne nous restera plus qu'un hectare et demi par personne.

Le partage ou la mort ?

La décroissance ou l'extinction de l'humanité ?

En ce début de XXIe siècle, si tous les hommes consommaient comme les Européens, il nous faudrait trois planètes pour satisfaire nos besoins.

S'ils avaient le niveau de vie américain, nous en aurions besoin de cinq.

Autour de quel Soleil inconnu tournent les quatre manquantes ?

Elles ne sont nulle part ailleurs que dans la philosophie du peu. Nulle part ailleurs que dans la décroissance et le partage. Nulle part ailleurs que dans l'esprit des hommes soucieux du destin des hommes.

Le poète chinois Hui Neng le disait au VIIe siècle :

Si tu ne trouves pas refuge dans ta propre nature,
tu ne trouveras refuge nulle part.

Les États-Unis du Monde

Nos espérances sur l'état à venir de l'espèce humaine
peuvent se réduire à ces trois points importants :
la destruction de l'inégalité entre les nations ;
les progrès de l'égalité dans un même peuple ;
enfin, le perfectionnement réel de l'homme.

CONDORCET
Esquisse d'un tableau historique
des progrès de l'esprit humain

« Encore une minute, monsieur le bourreau ! »

Nous sommes à Paris, le 18 nivôse de l'An 2 de la République. On va guillotiner la Du Barry. Alexandre Dumas raconte la scène dans *La Femme au collier de velours* (1850).

La comtesse se tient droit sur la charrette. On lui a coupé les cheveux sur la nuque. Elle est belle, « avec ses grands yeux hagards et sa bouche trop petite pour les cris affreux qu'elle pousse ».

« Dans l'ombre épaissie par une pluie froide », ajoute Alexandre Dumas, on ne distingue « plus que deux silhouettes : l'une blanche, c'était celle de la victime, l'autre rouge, c'était l'échafaud ».

Les exécuteurs traînent la condamnée sur la bascule. Elle supplie : « Grâce, monsieur le bourreau ! Encore une minute, monsieur le bourreau ! » Le couperet tombe.

La lame pourrait s'abattre sur notre espèce comme sur la nuque de la Du Barry. Séquence hémoglobine.

Nous pouvons accepter d'avoir la tête tranchée et donc lancer tous en chœur : « Après nous, le déluge ! »

Mais si nous crions « Encore une minute, monsieur le bourreau ! », il va falloir mériter notre sursis.

***

I have a dream...

« J'ai fait un rêve... »

Martin Luther King : quarante-six chromosomes et une âme en lambeaux... Dans l'épiderme, quelques grains de mélanine de plus que le Visage pâle. Les mêmes joies et les mêmes peines. Le même sang, les mêmes cellules, le même ADN que le Yankee. Peut-être une excellente compatibilité tissulaire avec son assassin du Ku Klux Klan.

J'ai fait un rêve...

Au XXIe siècle – peut-être pas ce soir ni demain matin, mais l'an prochain à Jérusalem, à La Mecque ou dans la Cité du soleil de Campanella –, tous les hommes seront égaux.

Non seulement par principe, mais « pour de vrai », comme disent les enfants. Égaux dans la déclaration de leurs droits comme dans leur vie quotidienne. Avec solennité et familiarité.

Dans mon utopie, les humains auront compris que, sur cette Terre, il existe quantité de nuisances, comme les gaz à effet de serre, les pesticides, la radioactivité, la tronçonneuse, la bétonneuse, les nouveaux virus ou une hypothétique attaque des Martiens ; mais que la plus dangereuse reste la beauté du diable. J'entends : notre irrépressible vanité. Notre obsession luciférienne du territoire et du rang. Le plaisir satanique que nous éprouvons à posséder et à dominer.

L'*Homo sapiens* est consternant : c'est ce qui le rend émouvant.

Dans mon rêve, mes congénères savent que le malheur procède de l'égoïsme, tandis que le bonheur est le fils du partage. Au XXIe siècle, les humains doivent bâtir non plus la Société des Nations (la SDN), mais la Société des Frères (la SDF). Non plus l'Organisation des Nations unies (l'ONU), mais un monde de OUF : de l'Ordre des Utopies fusionnelles. Ou bien encore la Fraternité universelle des Terriens pour une Utopie réaliste : le FUTUR...

Je sais : j'élucubre. Gilles Deleuze m'eût rangé parmi les machines délirantes. Je me suis trop acoquiné avec les molécules illégales qu'on rencontre dans la nature : celles du chanvre, du pavot, de la mandragore et du datura ; le LSD de l'ergot du seigle et la psilocybine du champignon de la bouse de vache ; sans oublier la muscarine de l'amanite tue-mouches que j'ai fait mijoter sous la lune, dans la marmite du Grand Schtroumpf... Je me prends pour un homme-médecine chez les Cheyenne ou pour un chaman de Sibérie. Ma cervelle se liquéfie. J'éternue des hallucinations comme la sorcière fait crépiter des étoiles au bout de sa baguette.

Ce livre est une poussière de songe. Il fera « pschitt ». Je vais retomber du haut de mes paradis d'artifice et m'écrabouiller sur le béton gris des banlieues. Le principe de réalité est plus implacable que la loi de la gravitation universelle.

Une utopie ? Là ? Maintenant ? Désolé, mon p'tit gars : mais ça va pas être possible ! Tu peux pas entrer : c'est une civilisation privée. On n'accepte pas les poètes en habit d'arc-en-ciel, ni les idéalistes en costume de nébuleuse.

***

Nous avons pourtant besoin d'utopie. D'urgence. À profiter de suite... Pas pour rêvasser sur les sentiers, ni pour refaire le monde au bistrot : pour vivre, ici et maintenant.

Aucune issue de secours ne s'ouvrira par magie. Il faudra que nous en dégagions une. Ou que nous la forcions. Contre nos instincts ; contre nos pulsions ; contre le sens apparent de l'Histoire. Contre l'hyper-capitalisme triomphant, mondialisé, outrancier. Contre ce mode de production sans merci qui dissout dans l'argent l'humanité de l'homme et la beauté sauvage de la Terre...

L'esclavage était abject : Spartacus avait raison de se révolter. Mais, dans sa fameuse « dialectique », Hegel montre à quel point le maître et l'esclave sont complémentaires ; fusionnels jusqu'à l'absurde ; jusqu'au droit de vie et de mort du puissant sur le faible.

La féodalité était infâme parce que le serf y était taillable et corvéable à merci. Mais le seigneur devait assistance à son vassal, lequel se réfugiait au château quand la guerre menaçait.

Le communisme était kafkaïen. Il a fini en archipel du goulag, en famines, en assassinat de la mer d'Aral et en désastres nucléaires à Tchernobyl et Tcheliabinsk. Mais il chantait l'égalité des hommes.

Le mode de production capitaliste, rebaptisé « libéral », privilégie l'individu. Il exalte la loi de la jungle, la raison du plus fort, ce qu'on appelle (grossier pseudo-darwinisme) la « sélection naturelle ».

Il brise à la fois la relation directe entre les êtres et les structures communautaires traditionnelles (la famille, le clan, la tribu, le village, le quartier...). L'individu y devient l'agent interchangeable de processus de production qu'il ne maîtrise plus. Il n'incarne qu'une machine biologique, un petit rouage, un pion, un ectoplasme sur un écran d'ordinateur. Une entité statistique. Une case de sondage.

Musil dirait : un « homme sans qualités ».

***

Pour reprendre une expression chère aux banlieues, le capitalisme mondialisé « manque de respect ». Il est à la fois mégalomane et hystérique... Il se proclame le meilleur des systèmes, mais il bâillonne l'ironie socratique, le bon sens cartésien et la « volonté bonne » kantienne. Il vide l'individu de sa pâte altruiste. Il ratatine le cœur que nous avons sur la main. Il nous prive de ce que nous possédons de plus précieux : la fainéantise et le souci de l'autre. Il traque la paresse, la caresse et la rêverie du promeneur solitaire, bref ces activités sensuelles ou érotiques qui ne consomment rien et ne dégagent aucun bénéfice.

Ce système-là ne jure que par la quantité. Il idolâtre la production qui saccage et le rendement qui vandalise. Il n'a d'égards que pour le chef, le « fauve », le « tueur », celui qui écrabouille la concurrence, qui licencie le personnel « inutile » et considère comme des « problèmes » les citoyens trop jeunes, trop vieux, trop handicapés, trop femmes, trop immigrés, en un mot : trop éloignés du modèle.

Ce capitalisme-là ressemble à un tsunami.

Il déferle et laisse derrière lui un champ de détritus. Il couvre la Terre de béton, de macadam, de bagnoles et de placards publicitaires. Il disperse des germes infectieux dans les trente-six parties du globe. Il pille les ressources, détraque les climats, troue la couche d'ozone, élimine les espèces et empoisonne pour mille ans l'air, l'eau et le sol.

En plus, il s'en vante !

Ce régime économique ne pourra pas durer. Dans les années quatre-vingt-dix, l'Américain Francis Fukuyama y voyait la « fin de l'Histoire » : ahurissante hypothèse ou désopilante conclusion…

À moins que l'auteur n'ait eu en tête la fin de l'humanité même.

***

J'analyse la réalité sans illusion. La justice sociale, économique et écologique est une inaccessible étoile. Le loup dévore l'agneau en toute légalité, puisque c'est lui qui rédige le règlement de l'abattoir.

Comme au temps de l'Union soviétique, le pessimiste marmonne : « La situation ne pourrait pas être pire ! » ; et l'optimiste lui répond : « Mais si, mais si ! »

Je suis un pessimiste à éclipses. Il m'arrive de décoller et d'aller faire des loopings dans l'azur ; jusque dans la stratosphère où, depuis les voyages en ballon du professeur Piccard, chacun sait que le ciel n'est pas bleu, mais noir.

Je revendique ma liberté de rêver.

Mon devoir de philosophe m'oblige à assener que la situation démographique, écologique et militaire de l'humanité rend urgent l'usage immodéré de la drogue utopie. Celle-ci provoque une tenace addiction, mais nul dégât physique ou psychique.

Le danger qui plane sur notre espèce à gros cerveau, mais bête comme ses pieds, justifie l'extension du domaine de l'élucubration.

Puisque la mondialisation est en marche, puisqu'elle s'installe sous son apparence la plus désordonnée et la plus brutale, tentons le tout pour le tout. Utilisons sa force pour la renverser. Comme au judo ! Enfilons le kimono et battons-nous sur le tatami de l'Histoire (ça nous changera du champ de bataille).

Inventons la démocratie universelle.

Instituons le gouvernement de la Terre.

Créons les États-Unis du Monde !

Cette entreprise sera en même temps notre Contrat social et notre Everest... Escalader ce sommet ne constituera pas une balade du dimanche, mais une aventure sublime, exaltante et incertaine, au cours de laquelle nous risquons de nous « décrocher », comme on dit en montagne. Nous ne sommes pas des chamois : nous ne trouverons aucun passage facile. Nous sommes coincés par en bas, alourdis par nos pulsions, entravés par la tyrannie de nos désirs, embourbés dans les ornières de l'Histoire. Il nous faut nous extirper de la fange et sortir par le haut.

Nous devons imaginer, façonner et faire fonctionner un gouvernement de la planète. Un pays Terre. Une *Terra humanis*. Une Terre humaine, enfin...

Telle est la tâche de l'*Homo sapiens* au XXIe siècle de la chrétienté, au LVIIIe du judaïsme, au XIVe de l'islam ou au centième après le déluge, c'est-à-dire après la Révolution néolithique.

Tous ensemble, sur le globe, nous nous trouvons dans la position des Insurgents d'Amérique en 1776 ou des révolutionnaires français en 1789. Il nous incombe de mettre sur pied une Assemblée constituante. Nous devons rédiger la Constitution de la planète.

Nous ne bénéficierons pas deux fois de la même conjoncture. Si nous refusons d'emprunter l'itinéraire du cœur et de la raison, escarpé et malaisé, mais digne de nos plus belles découvertes, alors nous appellerons sur nos têtes les puissances de la guerre et des désastres. Alors, nous pourrons commander notre monument aux morts, que nous sculpterons dans un amoncellement d'ordures et sur lequel le dernier d'entre nous aura peut-être la force de graver ces mots : « Ci-gît l'humanité, vanité envolée, matière redevenue matière. Ni fleurs, ni couronnes. Ni regrets, ni prières. Rien qu'un éclat de rire ! »

***

« Allô ! Service des urgences ?

— Qu'est-ce qu'on a ?

— *Homo sapiens* en péril. Polytraumatisé de l'Histoire et de l'écologie !

— On le monte au bloc ! Électrocardiogramme. Scanner du crâne. Radio du thorax...

— La pression artérielle chute... Hématocrite en baisse. Les constantes sont mauvaises... Docteur, on le perd !

— On l'intube, vite ! Adrénaline ! On le choque ! Défibrillateur... Chargez... On dégage !

— Est-ce qu'il lui reste une chance, docteur ?
— On va tout faire pour le sortir de là ! »

***

« Sous les pavés, la plage ! »
« Jouissons sans entraves ! »
« Soyons réalistes, demandons l'impossible ! »
En Mai 68, nous ne chantions ni trop faux ni trop mal les espoirs de la vie...

En ce temps-là, j'étais jeune, le sida n'existait pas, je fumais des Gauloises bleues, j'avais les cheveux longs et un peu d'éréthisme cardiaque. Je croyais en l'avenir de l'homme et nous avions raison de vouloir bâtir un autre monde.

Rien n'excuse les complicités de crimes dont nous nous sommes rendus coupables par naïveté juvénile – l'irresponsable célébration d'un castrisme et d'un maoïsme dont le romantisme révolutionnaire était dans nos têtes et les prisons à Cuba et en Chine.

Mais il y avait de la noblesse et de l'altruisme dans notre rêve. Continuons le combat sous d'autres formes ! Au temps de l'Internet et des blogs...

On a dit ou écrit que les soixante-huitards avaient trahi leur idéal et pris à la fois le pouvoir et l'oseille. Rien n'est plus faux. Les dépaveurs de Boul'Mich que nous étions (tous cantonniers : quelle ambition !) n'ont pas gagné, mais perdu la bataille. Nous avons été battus, pulvérisés, anéantis. Moins par les CRS, en vérité pas si méchants (ah ! le frisson des matraques...), que par ceux qui s'intitulent « libéraux », qui étaient nos adversaires à l'époque et qui tiennent les commandes aujourd'hui. En Mai 68, ils étaient militants de droite ou d'extrême droite. Nous avions le même âge, mais c'est tout ce que nous partagions.

Aucune de nos idées n'a gagné. Nous voulions la démocratie, l'amour libre, l'écologie, la tolérance et le partage. Nos adversaires étaient militaristes, puritains, productivistes et possessifs. C'est bien parce que nos utopies généreuses ont été ratatinées que l'humanité en est arrivée au point de malheur où elle s'afflige. Si l'esprit soixante-huitard avait vaincu, nous aurions depuis belle lurette engagé la croissance zéro sur la Terre et la décroissance chez les riches ; organisé le partage ; opté pour les énergies renouvelables et l'agriculture biologique ; protégé les loups, les ours, les coléoptères et les hyménoptères...

Nous serions entrés dans l'An 01 cher au dessinateur Gébé : « On arrête tout, on fait un pas de côté et on réfléchit. » Nous en serions autour de l'An 40 après Gébé. Nous aurions instauré les prémices d'une civilisation de l'humour et de l'amour. Je ne vais pas prétendre que nous aurions escaladé l'échelle du paradis. Mais nous nous sentirions plus légers. Plus fluides.

À l'image des dauphins dans la mer ou des oiseaux dans le ciel.

***

La conjoncture n'était pas favorable.

En Mai 68, le monde héritait de la logique économique de l'après-guerre (et même du XIXe siècle). Il fallait produire, encore produire, toujours produire. On se prosternait devant les chiffres, cette arithmétique faussement rationnelle du « progrès ».

On se persuadait que le bonheur était matériel. On sanctifiait le « niveau de vie » et le « pouvoir d'achat ». Le communisme stakhanoviste poussait le capitalisme à la surenchère productiviste. Les pays colonisés accédaient à l'indépendance et pouvaient espérer qu'un jour, ils consommeraient autant que les riches : ils n'ont obtenu que la dictature, la guerre et la misère.

J'ai gardé les mêmes enthousiasmes qu'en Mai 68, mais j'atteins l'âge où les élans du cœur se changent en angine de poitrine. Mes années se sont enfuies plus vite que l'écume de la mer sur l'étrave de la *Calypso*. J'ai compris peu de chose, mais je sais que les meilleurs d'entre nous ne sont pas bons. Si les humains étaient des fromages, les plus sages contiendraient à peine trente pour cent de matières sages, et les plus saints trente pour cent de matières saintes. (Jésus ou Mahomet, moins de trente pour cent de matières saintes ? Je vois déjà l'excommunication ou la fatwa ! Est-ce que j'en réchappe si je monte à cinquante ? À quel taux d'ironie commence le blasphème ?)

Je suis plus impatient qu'à vingt ans pour d'affligeantes raisons physiologiques : j'ai quatre décennies de plus dans les muscles, et la cervelle, et les mirettes, alouette ! Mes cellules sont lasses de se diviser, mon sang s'épaissit, j'ai le foie qu'est pas droit. J'ai perdu plusieurs dents d'origine, la majorité de mes cheveux et une fraction non négligeable de ma capacité à traverser l'Atlantique à la nage ou à escalader l'Everest à cloche-pied.

Je vis mes dernières années d'enfance.

En courant le monde, j'ai révisé mon idéalisme à la baisse. Je me suis fait une idée modeste de mes semblables, quelque part entre le Rousseau penseur de l'éducation dans l'*Émile* et le Jean-Jacques qui abandonne ses enfants sous le porche d'une église.

Si nous voulons persévérer comme espèce, nous devons maîtriser notre violence et notre vilenie congénitales. Les biaiser, les contourner.

L'utopie sera difficile. Nous ne nous y mettrons ni spontanément, ni sans rechigner. Il nous faudra une autorité et des lois. Nous sommes capables d'élans du cœur, mais nous comprenons encore mieux les coups de pied au derrière. Comment obliger les citoyens ou les entreprises à respecter des décisions sages et bénéfiques pour tous, sans une autorité qui dicte des lois et garantisse leur exécution, si besoin par la force ? Comment imposer de stricts quotas d'émissions de gaz carbonique ou de rejets toxiques à des firmes plus puissantes que la plupart des États, sinon par l'action d'un gouvernement qui leur soit supérieur ? Comment répartir de façon équitable les ressources en énergie, en eau, en minerais, etc., sinon par la volonté d'une puissance politique supérieure, dont les décisions ne puissent être ni contestées, ni bafouées ?

Nous devons nous offrir les moyens de notre songe : un plan de secours que, s'il le faut, nous nous ferons entrer dans le crâne à coups de massue (en bois préhistorique : la seule écologique) !

Nous protesterons, bien sûr, que c'est insupportable ; qu'il s'agit d'une atteinte à la liberté d'entreprise ; d'une négation de l'esprit d'initiative.

Mais nous constaterons vite à quel point les bénéfices excèdent les pertes.

***

J'ai fait un rêve.

Il va au rebours de ce que nous inflige ce début de XXIe siècle égoïste, sécuritaire et raciste ; en deux mots : bête et méchant.

J'ai fait un rêve.

Celui d'une utopie écologiste et humaniste, riante et envoûtante, désirable et ambitieuse. Elle nous fait entrevoir la paix perpétuelle (sinon la fin de toutes les querelles ; cela, Dieu même n'en a pas les moyens), le plaisir du partage et l'harmonie qui contrebalance nos pulsions animales.

J'ai fait un rêve.

Nous procédons à la solennelle proclamation de l'égalité entre tous les *Homo sapiens*, Noirs, Beurs, Jaunes ou Blancs, hommes, femmes ou transsexuels, géants ou nains, malades ou bien portants, Papous ou Patagons, Pékinois ou Parigots.

Désormais, chaque être humain a les mêmes droits à l'eau, à la nourriture, au logement, à la santé, à la sécurité, à la paix, à la démocratie, à la culture, aux sciences et aux arts ; et – par-dessus tout – à la pratique de l'humour. Rose ou noir.

Tous les hommes, avec leurs défauts éléphantesques et leurs qualités lilliputiennes, appartiennent au même pays : la Terre. Nul n'est plus digne de vivre que son voisin. Nous nous valons tous.

Un citoyen, une dignité, un vote…

Les Déclarations des droits de l'homme (celle de 1789 comme l'universelle de 1948 et leurs avatars) stipulent que chacun doit jouir de la liberté de pensée, de parole et de mouvement, ainsi que d'un minimum vital où figurent la santé, le travail, l'éducation, le logement, la nourriture, l'eau potable, l'air pur et un environnement sain.

En naissant, chaque sujet de notre espèce reçoit une sorte de « paquet cadeau » citoyen dont il peut disposer sans nuire à ses semblables, et en attendant le dernier des deux milliards et demi de battements de cœur qui (en moyenne) nous sont accordés lorsque nous quittons le ventre de notre mère.

Je sais : la *Terra humanis* sera plus difficile à conquérir que Mars, Vénus ou les gros satellites de Jupiter et de Saturne, qui ressemblent à des planètes et sur lesquels, à condition de ne pas avoir disparu prématurément, nous pourrions nous installer un jour, pour une ère de prospérité dont nul auteur de science-fiction n'a jamais même caressé l'idée.

En ce début de XXIe siècle, à moins que notre égoïsme forcené et notre propension au saccage n'ôtent toute signification au mot « futur », l'impossible reste possible. Nous pouvons exercer notre liberté de conscience et d'action. Nous sommes à la fois les esclaves et les maîtres de nous-mêmes. Nous détenons le droit de vie et de mort sur notre espèce.

Je pourrais répéter la rude alternative de René Dumont : « L'Utopie ou la mort ! »

J'ai trouvé mon slogan : « Un peuple, une Terre, une démocratie ! »

Une humanité, une planète et les États-Unis du Monde... Telles sont les conditions nécessaires (sinon suffisantes) pour que nous empruntions la sortie salvatrice.

Je me réjouis que ces conditions soient au nombre de trois, comme les côtés du triangle des Bermudes. Ou les folioles de la feuille de trèfle qui portent bonheur quand elles sont quatre.

***

1. « Un peuple… »

N'en déplaise aux nationalistes, régionalistes, patriotes, chauvins, eugénistes, xénophobes et autres racistes obtus, l'humanité (telle la République) est une et indivisible. Nous devons nous en persuader, nous le graver dans les circonvolutions cérébrales (le message passe moins bien en zone reptilienne) et ne plus jamais former de doute à ce sujet.

Il n'existe ni « race supérieure », ni « peuple élu », ni « cité de Dieu », ni « nation d'avant-garde », ni « civilisés », ni « sauvages ». Nos chromosomes et nos gènes se valent, se mêlent et s'apparient au hasard de nos coups de foudre ou de nos mariages arrangés. Tous les hommes naissent libres et égaux en droit et en acide désoxyribonucléique. Le petit et le grand, le maigre et le gros, le noir et le blanc, le jaune et le basané ; y compris le manchot, l'unijambiste, l'idiot du village et le prix Nobel.

En chacun de nous, le bon sens côtoie la déraison. Nous sommes des assortiments de folie et de sagesse, de crétinisme et de finesse, de douceur et de violence. Mais il existe un seul peuple de notre engeance, et il se nomme *Homo sapiens*.

L'avenir de notre lignée dépend de notre capacité à gérer notre dangereux génie. Comme dit Jean-Jacques Rousseau dans *Julie ou la Nouvelle Héloïse* : « Tout homme est utile à l'humanité par cela seul qu'il existe. » Mais quiconque instille la moindre inégalité dans son discours appelle un carnage ou une épuration ethnique. Il pointe le fusil, il brandit la machette, il creuse la fosse commune. Celui qui veut justifier ses pulsions de territoire et de domination en invoquant l'Histoire, la religion, la race ou la patrie, n'a pas plus de morale que les hordes de Gengis Khan, les assassins de la Saint-Barthélemy ou les SS à Oradour-sur-Glane.

***

2. « Une planète... »

La Terre. Gaïa. Notre maison commune, notre mère, le support de la vie... Elle est belle et fragile. Complexe. Insignifiante dans l'immense univers... Nous aurions pu la baptiser la « planète Miracle » ou le « Presque-rien sublime ». Nous y sommes apparus par la fantaisie des particules et des énergies ; par un enchaînement de causes et d'effets improbable et merveilleux.

Pour paraphraser Héraclite, la vie ne se baigne pas deux fois dans le même fleuve. Notre Histoire, comme celle de la biosphère, semble bourgeonnante, incertaine et dénuée de toute finalité. Elle n'a aucun but. Mais elle possède un rythme et un sens. Des temps forts et une histoire. Sans aucun recommencement !

Nous incarnons les hôtes dévastateurs et ingrats d'un globe irremplaçable, à la fois dur et doux, destructeur et créateur, criminel et amoureux, qui n'a aucun équivalent ni dans le système solaire ni dans ce que nous connaissons de la banlieue des étoiles. Lesquelles, de toute façon, sont si loin que nous ne pourrons jamais les aborder...

La Terre n'a permis la naissance et la prolifération de la vie que par un exceptionnel entrecroisement de facteurs singuliers. Elle dépend d'une étoile, le Soleil, qui n'est ni trop grosse (donc pas trop chaude), ni trop petite (donc pas trop froide).

Elle possède une masse moyenne – juste ce qu'il faut pour retenir des océans et une atmosphère, mais pas davantage pour ne pas être affligée d'une gravité paralysante. Elle orbite à l'exacte distance du Soleil qui permet à l'eau – cette molécule magicienne, ce solvant universel – d'être présente sous ses trois états : solide, liquide et gazeux. Elle possède une magnétosphère qui bloque les rayons cosmiques mortels. Sa croûte minérale est craquelée et animée de mouvements tectoniques qui permettent les grands cycles élémentaires (de l'oxygène, du carbone, de l'azote, etc.) et la formation de sédiments (notamment l'argile) où peuvent se nicher de longues molécules organiques, dont l'ADN est l'exemple. Un satellite naturel (la Lune), en proportion énorme, l'accompagne dans sa course et stabilise son axe de rotation en instaurant la ronde des saisons.

Nous n'existons que par cette accumulation sublime de hasards et de nécessités. Louons-en (selon notre foi) l'Éternel, Allah, Vishnou, Manitou, les propriétés de la matière ou les lois conjuguées de la mécanique céleste et de la biochimie du carbone. Mais soyons conscients que ce miracle pourrait ne pas durer.

Du point de vue scientifique, philosophique, juridique ou sentimental, la Terre est notre mère. C'est le support nécessaire et généreux de notre existence et de celle des autres espèces. Nous lui devons le respect. Les équilibres écologiques de Gaïa font partie des droits de l'homme autant que de ceux de la nature. Ils ne sont certes pas « sacrés » ; mais imprescriptibles.

Nous avons reçu notre planète en partage.

Nous devons la rendre en héritage.

***

3. « Une démocratie... »

En d'autres termes, « zéro führer... »

Il nous incombe aujourd'hui de créer le gouvernement de la Terre. D'instituer les États-Unis du Monde (les EUM). Que nous pourrions tout aussi bien appeler la Fédération (ou la Confédération) des Peuples unis (la FPU ou la CPU)...

Je discerne, dans cette entreprise, une forme inversée, supérieure, quasi idéale, de la mondialisation dont beaucoup souffrent aujourd'hui et qu'ils maudissent parce qu'ils lui reprochent d'accroître la précarité des travailleurs et d'intensifier l'exploitation de l'homme par l'homme.

Mon utopie est ambitieuse. Mais à quoi servirait une utopie frileuse ? Soyons réalistes, demandons tout ! Même la paix ! Même l'amour !

À l'opposé du grand dragon industriel, bureaucratique et financier que nous concocte l'hypercapitalisme en marche, le gouvernement de la Terre dont je veux l'avènement est égalitaire, écologique et pacifique.

Ma mondialisation à moi ne détruit pas notre avenir : elle le codifie, le structure et le garantit. Elle établit de façon équitable les droits et les devoirs des peuples et des individus. Elle balance les gains et les pertes de chacun. C'est une internationale, mais sans complot ni secret. Elle n'est ni capitaliste, ni communiste, ni religieuse. Elle n'accorde aucun passe-droit, aucune prééminence, pas plus politique ou économique qu'idéologique. Elle ne favorise aucun individu, aucun groupe, aucune nation, aucune classe, aucun culte.

Bien entendu, je peins ici l'idéal.

Comment s'en approcher ?

Par la démocratie.

Un citoyen, un vote... Un individu, un bulletin...

Problème : l'esprit de la démocratie n'est pas inné. Il s'apprend. Il résulte d'une pratique longuement balbutiante. Nul n'a jamais pu l'imposer ou l'exporter. (Voyez les exploits des Américains en Iraq...)

Pour avancer, nous n'avons pas d'autre choix que d'en passer par ce qui existe : l'Organisation des Nations unies. C'est la seule instance internationale reconnue et universellement acceptée – même si certains font la fine bouche ou la grimace. Elle réunit tous les pays. Elle constitue l'embryon naturel de l'État fédéral (ou confédéral) que nous aspirons à créer.

Vive l'ONU, donc ! À l'heure actuelle, elle n'a (c'est une litote) que peu de pouvoir. L'unique structure supranationale qui dicte sa loi et inflige des pénalités transfrontières s'appelle l'Organisation mondiale du commerce ; comme par hasard !

Accroissons de façon régulière et déterminée les pouvoirs de l'ONU et de ses annexes. Donnons des compétences humaines et des moyens financiers, juridiques, policiers, militaires, aux institutions qui en dépendent et qui s'occupent notamment de l'écologie, de l'eau, de l'alimentation, de la santé, de l'éducation, de la justice et de la paix.

Transformons chacune de ces divisions en un ministère digne de ce nom, parce que doté d'une véritable force de dissuasion, d'intervention et de répression.

***

Nous avons le premier gouvernement de la Terre. Le miracle a eu lieu.

La planète possède un pouvoir exécutif...

Le pouvoir législatif est tout naturellement exercé par l'Assemblée générale de l'ONU. Le Parlement du monde vote les lois. Il est composé de députés élus par tous les citoyens en âge de le faire, à la proportionnelle, mais avec des correctifs pour empêcher que les groupes les plus nombreux (linguistiques, religieux, ethniques) n'accaparent les postes clés et n'interdisent la libre expression des minorités.

Quand les lois sont adoptées, les ministères les font appliquer.

Supposons que nous y sommes...

L'ONU rééquilibre les économies du monde : c'est la seule façon de combattre la misère. Elle impose le commerce équitable. Elle répartit les ressources en eau, en énergie, en métaux, en bois... Elle ordonne la décroissance dans les pays riches et autorise une croissance modérée dans les pays pauvres. Elle s'occupe (enfin !) des grandes épidémies qui dévastent le Tiers Monde – les pneumonies, le sida, le paludisme...

Le ministère onusien de l'Écologie a (dans mon utopie) les moyens de faire respecter, y compris par les grandes compagnies minières, forestières ou pétrolières, la décision que nous avons prise de conserver intactes de vastes portions de la planète (l'Arctique, l'Antarctique, l'Amazonie, les forêts tropicales d'Afrique centrale et d'Asie du Sud-Est, les mangroves, les récifs de coraux, etc.), dont les scientifiques expliquent qu'elles sont essentielles à l'équilibre des climats, au régime des eaux, à la conservation de la biodiversité et à la sauvegarde des civilisations humaines les plus menacées. L'ONU compense, par une péréquation, les « pertes de développement » des pays concernés.

Le ministère de l'Écologie s'occupe activement du recyclage des déchets, de la lutte contre les pollutions, de la qualité de l'air et de l'eau. Non seulement il fait (enfin !) respecter le protocole de Kyoto, mais il oblige l'humanité entière à aller bien plus loin dans la lutte contre le réchauffement climatique – en imposant aux industries, aux transports, aux villes et aux campagnes de sévères quotas d'émissions de gaz à effet de serre. (Il faut diviser nos consommations par deux. C'est un minimum.)

Le ministère mondial de l'Alimentation oriente, de son côté, les activités paysannes vers les productions « biologiques », économes en eau, peu gourmandes en engrais et en pesticides, et surtout directement utiles aux populations des pays pauvres. Il règle la question de la surexploitation des richesses biologiques de la mer, non pas par des quotas (qui ne servent à rien parce qu'ils ne sont jamais respectés), mais en créant de vastes réserves où les créatures océaniques puissent se reproduire en toute tranquillité, grandir et reconstituer leurs populations.

Je ne vais pas dresser le catalogue de toutes les décisions du gouvernement du monde ! Je laisse du travail à mes épigones…

Une mesure, cependant, me paraît capitale. Elle concerne l'éducation. Elle fait une priorité absolue de la création d'écoles dans tous les villages, toutes les bourgades, tous les quartiers des pays pauvres. Non seulement la formation intellectuelle des enfants constitue un droit imprescriptible, mais on sait aujourd'hui que c'est la meilleure manière de lutter contre l'explosion démographique. Les pauvres font beaucoup d'enfants parce qu'ils ont peur de ne plus pouvoir travailler en prenant de l'âge, et qu'ils voient dans leurs rejetons une assurance vieillesse. Mais, surtout, la courbe de la fertilité des femmes s'effondre dès qu'on ouvre des écoles. L'éducation des filles est primordiale : quand elles savent lire et écrire, elles refusent de n'être que des ventres au service d'un mâle.

***

Telle serait la mondialisation à visage humain.

J'ai fait un rêve : il n'existe plus qu'un seul État : la planète. La carte physique du globe est inchangée, mais sa carte politique bouleversée. Simplifiée... Si cela les amuse, les pays peuvent garder leur hymne national et leur drapeau. Certains d'entre eux préfèrent avoir la même couleur que leurs voisins sur le planisphère ; mettons le vert chlorophylle, le bleu du ciel ou les teintes chamarrées de l'aurore boréale.

Il n'existe plus ni frontières, ni barrières, ni murs de la honte. Les flux migratoires sont organisés et régularisés par l'ONU pour éviter les convulsions sociales et les risques de flambées xénophobes ou racistes. Mais chaque humain devient citoyen de Gaïa par le seul fait qu'il y est né. On se tient prêt (disent les plus drôles ou les plus généreux) à accueillir les éventuels nouveaux immigrés – Sélénites, Vénusiens ou Martiens !

Sitôt qu'il atteint sa majorité, chaque *Homo sapiens* peut voter. Et être élu. À mon sens, il conviendrait d'ailleurs d'abaisser la majorité légale à quinze ans : le préadolescent boutonneux manifeste autant de jugeote politique, économique et sociale que l'adulte de ma génération, que guettent l'accident vasculaire cérébral, la maladie d'Alzheimer ou le syndrome répandu du vieux con.

Winston Churchill avait raison d'ironiser en disant que la démocratie constitue « le pire des systèmes à l'exception de tous les autres ». La démocratie du monde mérite que nous y consacrions nos plus ardents efforts. Elle garantit notre vie publique et privée. Elle supporte et perpétue nos libertés. Du point de vue de l'écologie, je ne vois pas comment nous pourrions nous en sortir sans une force internationale qui fasse respecter les décisions collectives.

***

Bien entendu, si nous réussissons à mettre sur pied les États-Unis du Monde, il nous faut éviter d'instituer du même coup la dictature universelle. Nous devons nous épargner le *1984* de George Orwell, avec son sinistre Big Brother (« *Big Brother is watching you* », « Grand Frère te regarde »)... La tentation sera grande, pour les plus ambitieux et les plus brutaux, de s'emparer du pouvoir suprême – le plus concentré, le plus absolu, le plus appétissant qui ait jamais été offert au Bonaparte ou au Mussolini que nous réchauffons tous dans notre sein. Gouverner la Terre : le plus prodigieux rêve de gloire qui puisse exister pour un César, un tsar, un kaiser, un empereur de la Chine ou du Japon. Ou un président-directeur général de la World Company...

La division des pouvoirs (législatif, exécutif,

judiciaire, écologique) s'impose plus que jamais. Des contre-pouvoirs doivent se constituer dans tous les domaines : droits de l'homme, citoyenneté, libertés syndicales, préservation de la biosphère...

La diversité culturelle doit être garantie. C'est un bien précieux. De même que la diversité des espèces – la biodiversité – est une condition de la vigueur et de la perpétuation de la biosphère, de même la variété des coutumes, des langues, des mythologies, des religions, des cuisines, des littératures, des musiques, des arts plastiques ou dramatiques, des façons d'être ensemble et des manières d'aimer, est essentielle à l'équilibre de la planète des hommes.

***

Demain sur la Terre !

Notre premier exploit consistera à nous mélanger ; je l'espère, avec un infini plaisir...

Je l'écrivais dans *L'Humanité disparaîtra, bon débarras !*, et j'aimerais que ma formule fasse florès : un raciste est un crétin qui se prend pour la race supérieure. Comment peut-on juger « meilleures » ou « plus dignes » une population ou une personne, quand on possède la moindre notion de biologie, d'éthologie ou d'histoire ? Le propos serait drôle s'il n'était criminel. Il a tué, il tue, il tuera.

Pour ne pas courir à notre extinction au cours de ce siècle, nous devons accomplir une série d'exploits collectifs. Le premier de tous consiste à vaincre l'hydre du racisme.

Partout, les hommes pleurent aux mêmes tragédies et rient aux mêmes idioties. La chimie de nos neurones excite tantôt nos glandes lacrymales et tantôt nos muscles zygomatiques : d'un côté, la petite larme ou le mur des Lamentations ; de l'autre, le sourire de la Joconde ou le grand esclaffement de Rabelais.

Tout en préservant l'originalité des cultures, des langues et des arts, nous devons favoriser l'hybridation entre les hommes. Encourager le croisement, le métissage, le mélange, l'interpénétration des peuples (au sens érotique des mots, cette dernière proposition est tentante !). Le gouvernement du monde implique ce brassage. Il le favorise… Le mouvement est amorcé : accélérons-le.

Nous sommes de fieffés égoïstes, fondamentalement méchants. Mais parce que la générosité nous procure aussi de la joie (en titillant nos circuits neuronaux, à petits coups de dopamine et d'endorphines), nous sommes capables de faire le bien.

Ne nous en privons pas. C'est une question d'amour. Et qui refuserait un baiser ?

Paris, métro Barbès…

Quartier coloré. Tintamarre et cohue. Boubous, hidjabs et blue-jeans. Les couleurs de la vie… L'*Homo sapiens* est un animal agité qui fait ses courses chez Tati. Je regarde passer les jolies Antillaises, Africaines, Indiennes, Arabes, Cambodgiennes, Vietnamiennes… J'ai, comme on dit, les yeux qui se tordent. Je conserve le calme qui sied au naturaliste. J'embrasse la situation par l'intelligence, faute de pouvoir la toucher du doigt. Je pense, puisque j'ai un organe pensitif. Je répudie ma condition, mon âge et ma décence : je traverse au feu rouge. Je manque finir mon existence sous forme de pizza philosophique.

Je me remémore les arguments des nazis et autres sectateurs de la « race pure ». Il est vrai que tous les humains n'ont pas la même apparence. Barbès en apporte la preuve. Blancs, Jaunes, Noirs ou basanés, d'après la division simplette à laquelle, au XIXe siècle, ont procédé Gobineau et Joseph de Maistre. Caucasiens, Mongoloïdes, Négroïdes ou Sémites, selon la phraséologie qui culmine au XXe siècle dans les camps de la Shoah, et se prolonge en épurations ethniques un peu partout sur la planète.

La réalité n'a rien à voir. Le matériel génétique humain est homogène ; bien davantage que celui du chien, de la vache ou du cheval, que nous avons sélectionnés en les domestiquant. Tous les hommes sont cousins, et même cousins germains. La couleur de notre peau, de nos poils ou de nos yeux est visible ; mais c'est un caractère secondaire ; sans importance. Tel chef de meute, xénophobe et aussi sympathique qu'un pitbull, régulièrement agité par la « préférence nationale » et l'obsession du blanc, aura peut-être un jour besoin qu'on lui greffe un cœur. L'examen de ses gènes d'histocompatibilité révélera qu'il est plus proche d'un Noir ou d'un Arabe que d'un Breton. J'attends avec impatience le jour où, dans la poitrine d'un aboyeur de haine fasciste, battra le cœur d'un Nègre ou d'un Juif. Je me demande si sa bouche prononcera les mêmes discours.

Nous sommes génétiquement si proches les uns des autres que les scientifiques émettent une hypothèse fascinante. Nous descendrions tous, non pas d'Adam et d'Ève, mais d'un petit groupe de survivants. De rescapés. Fils et filles d'une bande d'anthropoïdes chassés du Paradis terrestre par des désastres écologiques ou sanitaires…

Je dévisage une Ève asiatique à Barbès : pure réussite de l'évolution. Le cheveu et le sourcil noir, les yeux en amande, la peau d'ivoire. Elle me fascine autant que l'hypothèse des savants.

Il se pourrait que l'espèce humaine ait été, jadis, aussi proche de l'extinction que le bonobo, le gorille ou l'orang-outan actuels. Le genre *Homo* est issu d'un rameau d'australopithèques. Il est apparu voici près de trois millions d'années, en Afrique orientale. Certains de nos ancêtres, les « hommes debout » *(Homo erectus)*, ont migré jusqu'à Java (le pithécanthrope), en Chine (le sinanthrope) et en Europe (l'homme de Tautavel). Des séries de catastrophes auraient réduit cette population à moins de dix mille sujets, tous en Afrique orientale. Ces rescapés auraient donné, voici environ cent cinquante mille ans, l'espèce *Homo sapiens*, promise à la conquête de la Terre, aux soirées karaoké ou à la musique de Mozart…

J'ignore si les scientifiques identifieront les causes du désastre. Paroxysme glaciaire ? Réchauffement climatique ? Sécheresse ? Épidémies ? Quoi qu'il en soit, il me plaît de penser que je suis plus proche de l'Indien Jivaro du Pérou ou du Himba de Namibie, que le caniche ne l'est du dogue allemand, ou la vache holstein de la normande.

La pensée que l'humanité a échappé à un péril mortel me rappelle évidemment les dangers terrifiants qui la menacent.

Mais aujourd'hui, je me sens bien, dans la diversité des miens. Je proclame comme un slogan cette évidence : « Tous cousins, tous Africains ! » J'envisage sans amertume l'hypothèse que mon cœur pourrait, un jour, battre dans la cage thoracique d'un crétin raciste. J'avoue (mais on ne choisit pas dans ces cas-là) que je préférerais confier ce précieux fragment de moi-même à la jolie poitrine africaine que je lorgne dans son boubou. Moelleuse, tiède, satinée, désirable.

Belle comme Ève, notre mère africaine…

***

Envoi
Tincave, Savoie

La roche de la Grande-Cornelle, sous le plan de la Duy, où je menais les chèvres de mon grand-père lorsque j'étais gosse… Le grand corbeau tourne dans le ciel d'hiver et passe la cime obscure des épicéas. Je salue en lui l'âme d'Edgar Poe. Ou celle de Van Gogh, à supposer que les fougères fanées de l'éboulis soient les blés mûrs du dernier jour.

Grand corbeau
Roche froide
Ancien nouvel an

L'oiseau étend ses ailes aux doigts de plumes. Il écrit mon destin en lettres noires sur champ d'azur que seuls les oiseaux savent lire…

Je le connais. Nous nous sommes rencontrés quand nous avions cinq ans. Il cherchait un territoire, je conduisais les biques « en champ ». Nous sommes pétris de la même terre. Nés du même soupir de la montagne. Exhalaisons des glaciers bleus de la Vanoise. Résultats éphémères de la combinaison du vent, des sources et des arbres.

Le grand corbeau croasse la brièveté de nos existences dans la fuite du temps. Je me demande comment il a passé toutes ces décennies. Il est moins fringant qu'autrefois. Enroué. Tassé. Noueux. Avec des pertes de mémoire et des rhumatismes... Je compare nos carrières. J'ai ôté mes doigts de mon nez, lu la *Critique de la raison pure* et écrit quelques livres. J'ai embrassé la mer Caraïbe, la forêt d'Amazonie, la Chine et les quarantièmes rugissants. J'ai une femme et quatre enfants, une maison à Tincave et une chatte noire qui ronronne. Bon père de famille par parole et par action. Pervers polymorphe par pensée et par ennui. Ma barbe blanchit. J'aurai bientôt des rhumatismes et des pertes de mémoire.

Le grand corbeau n'a pas changé d'adresse. A-t-il (ou elle : j'ignore jusqu'à son sexe) compté ses nichées ? Connu la disette ? Eu les plumes gelées en hiver ? Voué le chasseur aux gémonies ? J'enfile mon habit de plumes. Je deviens grand corbeau. Je jouis de la vie par becquées. Je bois mon vin comme Omar Khayyam dans son jardin de roses. Je copule sans référence au docteur Freud et je me lisse la poitrine quand j'ai vidé mes génitoires.

Je me persuade que j'ai acquis de la substance ou de l'épaisseur, mais c'est une illusion.

Je ne suis rien. Je ne sais rien. Je ne vois pas plus loin que la morve de mon nez. Je ne joue aucun rôle. Je n'ai ni âme, ni destin, ni place au paradis, ni supplice à craindre en enfer. Rien à espérer du bon Dieu barbu, rien à redouter du diable cornu.

Né d'une fantaisie de l'acide désoxyribonucléique et des protéines, je suis apparu sur une planète naine, en orbite autour d'une étoile moyenne, dans une galaxie qui en compte cent milliards, sachant qu'il existe cent milliards de galaxies dans l'univers et peut-être plusieurs univers emboîtés ou chiffonnés depuis l'inflation du Grand Bang.

S'il y a eu un Grand Bang.

Je croasse ces soupirs sur mon carnet dérisoire que le vent effeuille ainsi qu'un arbre sec, sous les glaciers du temps perdu.

8580

Composition PCA à Rezé
Achevé d'imprimer en France (Manchecourt)
par Maury-Eurolivres
le 15 janvier 2008.
Dépôt légal janvier 2008. EAN 9782290007099

Éditions J'ai lu
87, quai Panhard-et-Levassor, 75013 Paris

Diffusion France et étranger : Flammarion